Die Frau, die alles haben kann

In 3 Schritten zu mehr Geld, Erfolg & glücklichen Beziehungen. Wie Sie Ihr Selbstbewusstsein in nur 60 Tagen explosionsartig steigern

Marie Gersten

Vorwort

Die Biografien von erfolgreichen Menschen zeigen alle Charaktere mit einem starken Selbstbewusstsein. Verständlich, schließlich pusht Erfolg das Selbstbewusstsein. Doch woher nehmen Sie den Erfolg, wenn Ihnen das Selbstbewusstsein fehlt? Wahrscheinlich haben Sie sich schon lange damit beschäftigt, wie Sie es endlich schaffen, im Beruf mehr Anerkennung und Erfolg zu finden, endlich den Traumpartner zu treffen oder sich finanzielle Stabilität zu verschaffen. Da im Leben nichts ohne Grund geschieht, haben Sie nicht nur zum passenden Zeitpunkt zu diesem Buch gegriffen, sondern Sie halten damit auch die Lösung in den Händen. Sie erhalten hier tatsächlich ein Patentrezept mit dem Sie als Frau in jedem Alter Ihr Selbstbewusstsein in nur 60 Tagen explosionsartig steigern. Damit gelingt es Ihnen endlich, gegen alle Widerstände und Hindernisse anzutreten, die Ihnen bislang den beruflichen und privaten Erfolg versperrt haben.

Wenn Ihnen schon als junge Frau das notwendige Selbstvertrauen gefehlt hat, dann haben Sie schon eine Menge von der Sonnenseite des Lebens verpasst. Es fühlt sich schrecklich an, das eigene Potenzial über Jahre und Jahrzehnte nicht zu leben. Doch dieses Buch zeigt Ihnen, wie Sie es selbst mit desolaten Voraussetzungen schaffen können, glücklich und erfolgreich zu werden. Mit dem richtigen Know-how und dem Verständnis für die eigenen Mechanismen ist es möglich, die Wandlung vom Mauerblümchen mit dem unscheinbaren Bürojob und dem alles andere als präsentablen Freund zur erfolgreichen Business Lady mit Prinz Charming an der Seite und vier Traumurlauben im Jahr zu vollziehen. Hinter derartigen Erfolgsgeschichten steht kein Hexenwerk, sondern ein Konzept, das jede Frau anwenden kann - unabhängig davon, ob der Selbstwert fast gar nicht vorhanden ist oder das Selbstbewusstsein einen kleinen Anschubser benötigt.

Selbstbewusstsein ist ein großes Thema. Aus diesem Grund besteht das Buch aus drei Teilen, die jeweils alle Aspekte von Selbstbewusstsein, Selbstvertrauen und Selbstwertgefühl umfassend beleuchten. Erst, wenn Sie sich konsequent um jeden dieser Bereiche kümmern, erhalten Sie ein ganzheitliches Ergebnis. Am Anfang steht die Information. Obwohl sich die meisten Frauen mehr Selbstbewusstsein wünschen, wissen jedoch die wenigsten, wie dieser Begriff definiert wird. Sind Selbstsicherheit und Selbstvertrauen identisch oder nicht? Was hat Selbstvertrauen mit Durchsetzungsvermögen zu tun und welche Merkmale zeichnen eine selbstbewusste Frau eigentlich aus? Auf all diese brennenden Fragen werden Sie im Buch eine Antwort erhalten.

Im Gegensatz zur klassischen Ratgeberliteratur werden Sie jedoch nicht einfach nur mit Fakten versorgt. Nachdem Sie den Test zum gegenwärtigen Level an Selbstvertrauen durchgeführt haben, geht es gleich mit dem Praxiswissen los. Planen Sie sich täglich Zeit ein, um die Übungen zu absolvieren. Sie lernen dabei unter anderem:

- Aus der Unsicherheit in ein Wachstumsdenken zu kommen
- Wie Sie Ihre Grundwerte erkennen und bestimmen können, um eine stabile Basis für Selbstbewusstsein zu entwickeln
- Techniken, mit denen Sie sich schnell und effektiv Ihre Ziele definieren
- Affirmationen anzuwenden, die Ihr Unterbewusstsein tatsächlich zu einem selbstbewussten Menschen umprogrammieren

Denken Sie daran: Der Aufbau von Selbstwertgefühl ist ein Prozess, der zunächst aus vollem Herzen Ihr Einverständnis zur Veränderung Ihrer Einstellungen und Umstände erfordert. Sie werden zahlreiche Herausforderungen begegnen und Ihre Denkweise wird auf den Kopf gestellt werden. Mit jedem Hindernis, das Sie umschiffen, werden Sie souveräner und kommen Ihrem Ziel näher. Wenn Sie sich auf die Arbeit mit dem Buch einlassen, wartet am Ende des Programms Ihr neues, glückliches, freies und selbstbewusstes Ich auf Sie! Auch nach dem ersten Durchlauf sollten Sie das Buch immer wieder zur Hand nehmen und mit den Übungen arbeiten - denn die Optimierung Ihres Selbstwertes ist ein lebenslanger Prozess! Werden Sie jetzt die Frau, die alles haben kann!

Inhaltsverzeichnis

Teil 1:

Selbstvertrauen

Kapitel 1:

Einführung – Was ist Selbstvertrauen?

Selbstvertrauen ist eine Geisteshaltung, durch die Sie sich imstande fühlen, Aufgaben und Tätigkeiten ohne größere Schwierigkeiten zu meistern. Selbstvertrauen spiegelt den Glauben an Ihre Kompetenzen und Fähigkeiten wider. Es ist eine Eigenschaft, die Ihnen dabei hilft, sich auch großen Herausforderungen zu stellen. Selbstvertrauen zu haben bedeutet jedoch nicht, dass Sie jede Aufgabe erfolgreich abschließen, sondern dass Sie auch bereit sind, Fehler zu akzeptieren und aus ihnen zu lernen.

Selbstvertrauen ist kein gleichbleibender Zustand. Nach einem Einkaufsbummel werden Sie sich nicht plötzlich voller Selbstvertrauen fühlen. Selbstvertrauen ist nicht etwas, was Sie einmal erlangen und für den Rest Ihres Lebens beibehalten. Lassen Sie sich nicht entmutigen, wenn Sie sich morgens nach dem Aufstehen einmal nicht so überragend fühlen.

Als etwas Dynamisches ändert sich das Selbstvertrauen in Abhängigkeit von diversen Faktoren wie Ihrem Qualifikationsniveau, Ihrem Maß an Selbstbewusstsein, Ihrer Fähigkeit, mit Fehlern umzugehen, und vielem mehr. Das Aufbauen und Steigern Ihres Selbstvertrauens stellt einen lebenslangen, von Höhen und Tiefen geprägten Prozess dar. Der Aufbau von Selbstvertrauen ist ein folglich Entwicklungsprozess, der das gesamte Leben lang andauert.

Der Tennisstar Jessica Williams sagte: *»Selbstvertrauen ist vielmehr eine Reise, und kein Ziel. Am Montag finde ich mein Aussehen* *noch beschissen, und am Dienstag halte ich mich für die geilste Sau der Welt, verstehen Sie? Ich glaube, sowas kommt und geht.«*

Die Wurzeln des Selbstvertrauens liegen:

- im Gefühl, sich durch Lernen und Übung verbessern zu können und
- im Gefühl, sich an Änderungen in seinem Umfeld anpassen zu können.

Selbstvertrauen entsteht, wenn man sich in seiner Haut wohlfühlt und sich selbst annimmt. Man erfreut sich seiner Stärken und nimmt seine Schwächen gelassen hin, ohne aber dabei Scham- oder Schuldgefühle aufkommen zu lassen.

Warum ist Selbstvertrauen so wichtig?

Was das Selbstvertrauen oder den Mangel an Selbstvertrauen angeht, gibt es kein Richtig oder Falsch. Denn dabei handelt es sich lediglich um ein Persönlichkeitsmerkmal, das eine Reihe von Vorteilen mit sich bringt und beim Erlangen von Glück und Erfolg von großem Nutzen ist. Selbstvertrauen ist keine Frage der Moral. Quälen Sie sich also nicht mit Gewissensbissen, wenn Sie glauben, an einem Mangel an Selbstvertrauen zu leiden. In der Tat ist es sogar so, dass viele Frauen ihr Selbstvertrauen verlieren, und zwar aus vielfältigen Gründen wie z. B. durch:

- unangemessene Kritik
- ein Umfeld voller Menschen mit negativer Einstellung
- negative Gedanken wie »Ich bin ein Versager«, »Ich bin ein Dummkopf« usw.
- negative Körperwahrnehmung durch das Streben nach einem von der Gesellschaft erwarteten Ideal
- das Scheitern an unzumutbar hohen und von anderen gesetzten Zielen

Anstatt ein schlechtes Gewissen wegen mangelnden Selbstvertrauens zu haben, sollte Ihnen dies als Motivation dazu dienen, Ihr Selbstvertrauen wiederaufzubauen und zu entwickeln, um Nutzen aus seinen zahlreichen Vorteilen ziehen zu können. Hierzu gehören unter anderem folgende drei Punkte:

Sie haben ein gesteigertes Selbstwertgefühl – Ihr Selbstvertrauen verstärkt sich durch verbesserte Fähigkeiten, tieferes Wissen und dem daraus resultierenden Erfolg, der wiederum Ihr Selbstwertgefühl steigert.

Sie sind fröhlicher als zuvor – Selbstvertrauen bringt Erfolg sowie einen besseren Umgang mit Fehlern mit sich. Sie werden sich nicht mehr wie ein Versager fühlen und Ihr Leben mit mehr Genuss bestreiten können.

Sie befreien sich von Selbstzweifeln – Selbstvertrauen bedeutet, dass man seine Stärken und Schwächen kennt und akzeptiert. Dadurch werden Selbstzweifel aus Ihren Gedanken verbannt, da Sie genau wissen, wo Ihre Fähigkeiten liegen.

Die Merkmale einer selbstsicheren Frau

Oprah Winfrey sagte: *»Denken Sie wie eine Königin. Eine Königin hat keine Angst vor dem Scheitern. Das Scheitern ist nur ein weiterer Schritt zur wahren Größe.«*

Sie schreiten erhobenen Hauptes voran – Schultern gerade, Kopf und Kinn hoch erhoben. Das sind die unverkennbaren Zeichen einer selbstsicheren Frau.

Sie vertreten Ihren Standpunkt – Als selbstsichere Frau vertreten Sie starke und bedeutungsvolle Standpunkte in Bezug auf verschiedene Aspekte des Lebens wie unter anderem Familie, Arbeit und Natur. Selbstvertrauen geht jedoch nicht unbedingt mit einem hohen Maß an Wissen auf einem bestimmten Gebiet einher. Es entspringt der Fähigkeit, die Dinge auf Ihre eigene Art und Weise wahrzunehmen.

Sie zeigen sich von Ihrer besten Seite – Sie kleiden sich gut, Sie drücken sich gewählt aus, Sie pflegen einen guten Umgang mit anderen, und Ihre Gesamterscheinung strahlt Selbstvertrauen aus.

Sie leben nach bestimmten Grundwerten – Sie führen ein Leben nach Ihren Vorstellungen, die sich auf eine Reihe bestimmter Grundwerte stützen, die Sie auf Ihrem Lebensweg leiten. Sie wandeln nicht ziellos dahin, sondern besitzen einen tiefgründigen Sinn für Ihre Ziele im Leben.

Sie loben von Herzen gern – Wenn jemand gute Arbeit leistet, fällt es Ihnen nicht schwer, sein Talent anzuerkennen und mit aufrichtigem Lob zu würdigen. Selbstvertrauen trägt dazu bei, dass Sie sich durch die Fähigkeiten anderer nicht verunsichert fühlen, was wiederum bedeutet, dass Sie andere mit ehrlichem Lob erfreuen können.

Sie nehmen Kritik mit der richtigen Einstellung an – Ihnen ist bewusst, dass Sie an Ihren Schwächen arbeiten müssen, und die beste Methode der Selbstverbesserung besteht darin, auf konstruktive Kritik zu hören und entsprechend zu handeln. Dieses Wissen ermöglicht es Ihnen, Kritik mit der richtigen Einstellung anzunehmen. Hillary Clinton sagte einmal: »Wenn man etwas verändern will, dann muss man lernen, Kritik zwar ernst, aber nicht persönlich zu nehmen.«

Ist Selbstvertrauen erworben oder erblich bedingt?

Die Frage lautet also, ob Frauen selbstsicher geboren oder selbstsicher gemacht werden. Wenn man zehn Babys im Alter von ein bis drei Jahren in einem Raum versammelt, glauben Sie dann, dass deren Niveau an Selbstvertrauen ohne Weiteres festzustellen ist? Die Babys würden wahrscheinlich mehr oder weniger dasselbe Verhalten aufweisen, über dieselben Dinge lachen und aus denselben Gründen weinen, nicht wahr? Betrachtet man jedoch Kinder im Alter von über zehn Jahren, fällt deutlich ins Auge, dass manche mehr Selbstvertrauen als andere an den Tag legen.

Welche Veränderung tritt also im Alter zwischen drei und zehn Jahren ein? Menschen werden durch das Umfeld ihrer Erziehung, die Einstellung ihrer Bezugspersonen und die Lehren, die sie aus dem Umgang mit anderen gezogen haben, beeinflusst. Wir alle werden davon geprägt, was uns beigebracht wird und von wem es uns beigebracht wird. Die Auswirkungen dieser Lehren sind auch am Niveau unseres Selbstvertrauens zu spüren. Wir lernen, wie und was wir von uns denken sollen, wie wir uns verhalten sollen und wie der Glaube an uns selbst aussehen soll, der auf den Interaktionen mit anderen Menschen sowie auf unserer Umwelt beruht. All diese Elemente haben Einfluss auf das Selbstvertrauen.

Die genannten Elemente werden schon während der frühen Entwicklungsstufen Teil unseres Lebens, und dieser Aspekt unserer Entwicklung spielt für unser Maß an Selbstvertrauen eine wichtige Rolle. Daher liegt der Schluss nahe, dass Selbstvertrauen vielmehr eine erworbene als eine erblich bedingte Eigenschaft ist.

Dennoch könnten biologische Faktoren beim Selbstvertrauen eine gewisse Rolle spielen. Manche Menschen könnten mit einer Veranlagung für mehr Selbstvertrauen geboren sein. Allerdings besteht der Vorteil dieser Menschen nur darin, dass es ihnen im Gegensatz zu Personen mit einer fehlenden Veranlagung für Selbstvertrauen leichter fällt, sich Wissen über das Selbstvertrauen anzueignen. Über andere Vorteile verfügen sie dadurch nicht.

Begabung ist in der heutigen Welt überbewertet. Harte Arbeit lässt sich niemals mit Talent aufwiegen. Befragt man erfolgreiche Menschen zu diesem Thema, so geben diese an, dass reine Begabung ohne harte Arbeit wertlos sei, wohingegen man mit harter Arbeit und einem scheinbaren Mangel an Talent durchaus den Gipfel des Erfolgs erreichen könne.

Selbstvertrauen steht darüber hinaus in engem Zusammenhang mit der Kompetenzentwicklung. Je mehr man sich weiterbildet und je mehr man sich in einer Sache übt, desto besser beherrscht man sie. Dies führt zu einem Anstieg an Selbstvertrauen. Erinnern Sie sich noch an Ihre erste Klavierstunde? Wissen Sie noch, wie schwer sie Ihnen fiel? Nach einer Weile des Übens hätten Sie beinahe aufgegeben.

Wahrscheinlich glaubten aber Ihr Vater oder Ihre Mutter an Sie und spornten Sie zum Weiterüben an. Sie folgten ihrem Rat und mit der Zeit fiel Ihnen auf, dass Sie sich beim Spielen eines bestimmten Stückes verbesserten, und Ihr Niveau an Selbstvertrauen stieg dadurch erheblich an. Selbstvertrauen rührt also eher von wiederholtem Üben und Ihrem Engagement her als von genetischen Faktoren.

Selbstsicher sein vs. Selbstvertrauen haben

Die nächste Frage lautet: »Was ist der Unterschied zwischen ›selbstsicher sein‹ und ›Selbstvertrauen haben‹?« *Selbstvertrauen zu haben* bezieht sich darauf, was Sie in sich fühlen, während das *Selbstsichersein* von außen wahrgenommen wird.

Wenn Sie beispielsweise vor Ihren Arbeitskollegen einen Vortrag halten, auf den Sie sich, anders als sonst, nicht gründlich vorbereitet haben, so kann es Ihnen unter diesen Umständen womöglich an Selbstvertrauen mangeln. Allerdings sind sich Ihre Kollegen Ihrer Fähigkeiten längst bewusst, und wenn Sie in deren Gegenwart ›selbstsicher auftreten‹ können, sollte

Ihnen der Vortrag mit Hilfe Ihrer Kenntnisse einigermaßen gut gelingen.

Ein weiteres Beispiel des Selbstsicherseins findet sich bei Menschen, die in der Lage sind, nach außen hin selbstsicher zu wirken, obwohl sie sich ihres inneren Mangels an Selbstvertrauen wohlbewusst sind. Diese Fähigkeit kann dazu genutzt werden, um verzwickten Situationen zu entkommen und vor anderen selbstsicher zu wirken, auch wenn die Kompetenzen einmal nicht für ein Gefühl echten Selbstvertrauens ausreichen.

Typischerweise wirken Frauen, die *Selbstvertrauen haben,* auf andere von Natur aus selbstsicher. Doch jene, die nur selbstsicher wirken, laufen Gefahr, ihre Fassade nicht lange aufrechterhalten zu können, da sich ihr inneres und wahres Selbst rasch auf ihr Verhalten niederschlägt. Daher ist es wichtig, sich Selbstvertrauen durch Kompetenzentwicklung zu erarbeiten, um dauerhaft selbstsicher sein zu können.

Selbstvertrauen und Selbstwertgefühl

Selbstvertrauen und Selbstwertgefühl stehen zwar in enger Beziehung zueinander, doch unterscheiden sie sich maßgeblich. Üblicherweise stehen sowohl Selbstwertgefühl als auch Selbstvertrauen in direktem Verhältnis zueinander. Dennoch gibt es Fälle, in denen sie nicht miteinander in Einklang stehen. Zum Beispiel strotzte die Schauspielerin Emma Watson, die die Rolle der Hermine Granger in der Harry-Potter-Reihe spielte und zum Hollywoodstar aufstieg, nur so vor Selbstvertrauen in ihrer Rolle und erhielt viel Lob seitens der Kritiker für ihre von Selbstsicherheit geprägten schauspielerischen Fähigkeiten. Allerdings gestand sie, Probleme mit ihrem Selbstwertgefühl zu haben.

Wie das Wort schon vermuten lässt, entsteht Selbstwertgefühl aus einem Gefühl des Selbstwertes. Wenn Sie die Frage »Halte ich mich für einen wertvollen Menschen?« bejahen, dann verfügen

Sie über ein respektables Niveau an Selbstwertgefühl. Sollten Sie sich bei der Beantwortung dieser Frage jedoch unwohl fühlen oder sich mit Selbstzweifeln plagen, so sehen Sie sich in dieser Hinsicht womöglich mit Problemen konfrontiert.

Das Selbstwertgefühl ist eine Frage der Identität und unterliegt auch in verschiedenen Lebenslagen keinen Änderungen. Wenn Sie also beispielsweise als Mutter über ein hohes Selbstwertgefühl verfügen, dann ist es sehr wahrscheinlich, dass Sie im Büro dasselbe Maß an Selbstwertgefühl an den Tag legen.

Auf der anderen Seite kann Ihr Selbstvertrauen in den verschiedenen Bereichen Ihres Lebens variieren. So können Sie etwa als Mutter selbstsicher agieren, im Büro hingegen an einem Mangel an Selbstvertrauen leiden und dadurch Unsicherheit in Bezug auf die Fähigkeiten verspüren, welche für Ihre Karriereentwicklung vonnöten sind. Das Selbstvertrauen stellt eher ein Merkmal dar, das von anderen wahrgenommen wird, während das Selbstwertgefühl eher eine innere Eigenschaft darstellt, die ausschließlich Ihnen und vielleicht einigen engen Freunden bekannt ist.

Selbstvertrauen ist eine besondere Fähigkeit, die durch fortwährende Übung aufgebaut werden kann, wohingegen sich die Entwicklung des Selbstwertgefühls schwieriger gestaltet und eine Änderung Ihrer gesamten Sichtweise auf sich selbst erfordert.

Selbstvertrauen und Durchsetzungsvermögen

Selbstvertrauen erzeugt Durchsetzungsvermögen. Doch auch diese beiden Begriffe unterscheiden sich. Durchsetzungsvermögen wird zwangsläufig nach außen hin demonstriert, während Selbstvertrauen nicht unbedingt zur Schau gestellt werden muss. Durchsetzungsfähigkeit verlangt das Gespräch und die Interaktion mit anderen, Selbstvertrauen hingegen muss nicht notwendigerweise zum Ausdruck gebracht werden. Die Tatsache, dass Sie Vertrauen in Ihre Fertigkeiten und Fähigkeiten setzen, müssen Sie nicht zwingendermaßen Ihrem Umfeld preisgeben. Im Gegensatz dazu muss Durchsetzungsvermögen ausgedrückt werden.

Kapitelzusammenfassung

Selbstvertrauen heißt, Ihre Stärken und Schwächen zu akzeptieren, ohne dabei überheblich zu sein. Selbstvertrauen stellt ein Persönlichkeitsmerkmal dar, das erlernt und beherrscht werden kann und dessen vielfältige Vorteile für ein erfüllteres und sinnvolleres Leben genutzt werden können. Selbstvertrauen, Selbstwertgefühl und Durchsetzungsvermögen stehen in engem Zusammenhang und weisen zugleich zahlreiche Unterschiede auf.

Kapitel 2:

Bestimmen Sie Ihr aktuelles Maß an Selbstvertrauen

Wissen Sie, wie es derzeit um Ihr Selbstvertrauen steht? Das Wissen um Ihr aktuelles Maß an Selbstvertrauen ist wichtig, um fundierte Entscheidungen zur Verbesserung Ihres Lebens treffen zu können. Daher widmet sich dieses Kapitel der Selbsteinschätzung anhand eines Fragebogens, der Ihnen dabei helfen soll, Ihr derzeitiges Niveau an Selbstvertrauen abzuschätzen, sodass Sie die nötigen Änderungen in die richtige Richtung vornehmen können.

Frage 1: Wenn ich mit dem Verfassen eines Projektberichts beauftragt werde, weiß ich genau, wo ich die erforderlichen Informationen dafür finde.

1. Nie 2. Manchmal 3. Sehr oft 4. Immer

Frage 2: Dank meiner Hochschulausbildung bin ich davon überzeugt, dass ich gute Arbeit leisten werde.

1. Nie 2. Manchmal 3. Sehr oft 4. Immer

Frage 3: Ich gehe gern kalkulierte Risiken ein.

1. Nie 2. Manchmal 3. Sehr oft 4. Immer

Frage 4: Ich stelle mich gern schwierigen Herausforderungen.

1. Nie 2. Manchmal 3. Sehr oft 4. Immer

Frage 5: Ab und zu fällt mir die Antwort auf eine Frage nicht sofort ein. Aber ich weiß, wo ich die nötigen Informationen dazu finden kann.

1. Nie 2. Manchmal 3. Sehr oft 4. Immer

Frage 6: Ich kann meinen Arbeitskollegen selbstsicher mit Rat und Tat zur Seite stehen.

1. Nie 2. Manchmal 3. Sehr oft 4. Immer

Frage 7: Ich kann meinen Kindern selbstsicher bei ihren Hausaufgaben in den naturwissenschaftlichen und mathematischen Fächern helfen, auch wenn ich nicht ganz fachkundig bin.

1. Nie 2. Manchmal 3. Sehr oft 4. Immer

Frage 8: Trauen Sie sich, in einer Reality-TV- oder Quizsendung aufzutreten?

1. Ja 2. Ich weiß nicht 3. Nein

Frage 9: Würden Sie eine Rede über Ihre beste Freundin auf deren Hochzeit halten?

1. Ja 2. Ich weiß nicht 3. Nein

Frage 10: Glauben Sie, dass Sie eine positive Einstellung haben?

1. Ja 2. Ich weiß nicht 3. Nein

Frage 11: Lassen Sie sich aus Angst davon abhalten, ein risikoreiches Unterfangen zu wagen?

1. Nie 2. Manchmal 3. Sehr oft 4. Immer

Frage 12: Haben Sie jemals Ihren Vorgesetzen widersprochen?

1. Nie 2. Manchmal 3. Sehr oft 4. Immer

Frage 13: Würden Sie Ihrem Vorgesetzten widersprechen, wenn Sie der Meinung sind, dass Sie das Richtige tun und Ihr Vorgesetzter die falsche Entscheidung trifft?

1. Ja 2. Ich weiß nicht 3. Nein

Frage 14: Glauben Sie, dass Angriff die beste Verteidigung ist?

1. Nie 2. Manchmal 3. Sehr oft 4. Immer

Frage 15: Trauen Sie sich, eine vielbefahrene Straße zu überqueren?

1. Ja 2. Ich weiß nicht, ich habe es noch nie versucht 3. Nein

Frage 16: Würden Sie trotz vorhergesagten Sturms mit der Fähre auf eine Insel übersetzen?

1. Ja 2. Ich weiß nicht 3. Nein

Frage 17: Angenommen, Ihr Chef bittet Sie, zwischen zwei Aufgaben zu wählen. Würden Sie die schwierigere Aufgabe wählen, weil Sie gerne herausgefordert werden?

1. Nie 2. Manchmal 3. Sehr oft 4. Immer

Frage 18: Halten Sie sich für klüger als der Durchschnittsangestellte in Ihrem Büro?

1. Ja 2. Ich weiß nicht 3. Nein

Frage 19: Würden Sie einen Wollpullover mit der Absicht auftrennen, die verschiedenen Arten von Maschen zu erlernen und ihn dann wieder zusammenzustricken?

1. Ja 2. Ich weiß nicht 3. Nein

Frage 20: Sind Sie von guten Rednern so beeindruckt, dass Sie wünschten, mit dem gleichen Maß an Selbstvertrauen sprechen zu können?

1. Ja 2. Ich weiß nicht 3. Nein

Frage 21: Angenommen, Sie sind allein mit den Kindern zuhause, weil Ihr Ehemann auf Geschäftsreise ist. Mitten in der Nacht hören Sie ein Geräusch aus der Küche. Würden Sie Ihr Schlafzimmer verlassen, um dem Geräusch auf den Grund zu gehen?

1. Ja 2. Ich weiß nicht. Hoffentlich komme ich nie in so eine Situation. 3. Nein

Frage 22: Tun Sie manches nur, damit andere glücklich sind, auch wenn Sie es eigentlich nicht wollen?

1. Nie 2. Manchmal 3. Sehr oft 4. Immer

Frage 23: Würden Sie die Stimme gegen Ihren Ehemann erheben, wenn er Sie vor Ihren Freunden kritisierte?

1. Nie 2. Manchmal 3. Sehr oft 4. Immer

Frage 24: Angenommen, Sie wurden auf eine Feier eingeladen und der gutaussehende Kerl, auf den Sie stehen, ist auch auf der Party. Würden Sie ihn ansprechen und ihm Ihre Gefühle gestehen?

1. Nie 2. Manchmal 3. Sehr oft 4. Immer

Frage 25: Sind Sie mit Ihren Begabungen und Fähigkeiten zufrieden?

1. Nie 2. Manchmal 3. Sehr oft 4. Immer

Frage 26: Halten Sie mit Ihrem Gesprächspartner selbstbewusst Augenkontakt, selbst wenn es sich dabei um jemanden handelt, von dem Sie nicht sonderlich angetan sind?

1. Nie 2. Manchmal 3. Sehr oft 4. Immer

Frage 27: Wenn Sie zu Ihren Kindern aus triftigen Gründen Nein sagen müssen, schauen Sie ihnen dann dabei in die Augen?

1. Nie 2. Manchmal 3. Sehr oft 4. Immer

Frage 28: Angenommen, Sie gehen auf eine Feier und jemand tritt Ihrer besten Freundin zu nahe. Würden selbstsicher auf diese Person zugehen und sie zum Weggehen auffordern?

1. Nie 2. Manchmal 3. Sehr oft 4. Immer

Frage 29: Sind Sie mit Ihrem derzeitigen Kompetenzniveau und Wissensstand zufrieden?

1. Ja 2. Ich weiß nicht 3. Nein

Frage 30: Sind Sie ständig auf Lob angewiesen, um sich in Ihrer Haut wohlzufühlen?

1. Nie 2. Manchmal 3. Sehr oft 4. Immer

Frage 31: Verlassen Sie auch einmal Ihre Komfortzone und probieren Neues aus?

1. Nie 2. Manchmal 3. Sehr oft 4. Immer

Frage 32: Lernen Sie gerne Neues dazu?

1. Nie 2. Manchmal 3. Sehr oft 4. Immer

Frage 33: Verzeihen Sie sich Ihre Fehler?

1. Nie 2. Manchmal 3. Sehr oft 4. Immer

Frage 34: Haben Sie eigene Grundwerte, nach denen Sie leben?

1. Nie 2. Manchmal 3. Sehr oft 4. Immer

Frage 35: Sind Sie bereit, die Folgen Ihrer Taten und Ihres Verhaltens auf sich zu nehmen?

1. Nie 2. Manchmal 3. Sehr oft 4. Immer

Frage 36: Sind Sie damit zufrieden, wie Sie Ihre Finanzen verwalten?

1. Nie 2. Manchmal 3. Sehr oft 4. Immer

Frage 37: Teilen Sie sich Ihre Zeit gleichmäßig zwischen Arbeit, Familie und Freizeit für sich selbst auf?

1. Nie 2. Manchmal 3. Sehr oft 4. Immer

Frage 38: Glauben Sie, dass Sie eine selbstsichere Körperhaltung beim Sitzen, Stehen und Gehen haben?

1. Nie 2. Manchmal 3. Sehr oft 4. Immer

Frage 39: Wählen Sie Ihre Kleidung sorgfältig aus und stellen Sie sicher, dass Sie sich darin wohlfühlen?

1. Nie 2. Manchmal 3. Sehr oft 4. Immer

Frage 40: Sind Sie im Allgemeinen zufrieden und positiv eingestellt?

1. Nie 2. Manchmal 3. Sehr oft 4. Immer

Selbstfindung mit einem Partner

Ein zuverlässiger Partner kann eine großartige Hilfe bei der Erfassung Ihres gegenwärtigen Niveaus an Selbstvertrauen sein. Bei dieser gemeinschaftlichen Übung ist es notwendig, dass Sie sich mit einer guten Freundin oder auch mit Ihrem Lebenspartner zusammentun. Stellen Sie sich zunächst eine Situation vor, die Ihnen Selbstvertrauen abverlangt. Denken Sie zum Beispiel an eine Rede, die Sie auf der Hochzeit Ihrer besten Freundin halten müssen. Auf Grundlage dieser Vorstellung machen Sie sich nun ausführliche Notizen anhand der folgenden Fragen:

Ihre Gefühle: Sind Sie selbstsicher oder nervös? Warum?

____

____

____

____

Bemerkungen des Partners

____

____

____

Wie gehen Sie mit diesen Gefühlen um?

____

____

____

Bemerkungen des Partners

____

____

____

Hätten Sie sich besser geschlagen, wenn Sie Zeit zum Vorbereiten gehabt hätten?

____

____

____

Bemerkungen des Partners

____

____

____

Was, wenn weniger Leute anwesend wären? Würde sich Ihr Niveau an Selbstvertrauen ändern? Wie sehr?

____

____

____

Bemerkungen des Partners

____

____

____

Antworten Sie ehrlich und überlegt. Ihr Partner, der sich eine andere Situation und andere Fragen ausdenken kann, muss es genauso machen. Sie können sich auch eine andere Situation vorstellen, falls die obengenannte nicht zu Ihrem Selbstfindungsprozess passt.

Lassen Sie Ihren Partner anschließend Ihre Notizen lesen und seine eigenen Kommentare unter »Bemerkungen des Partners« eintragen. Fragen Sie ihn, ob er Ihren Beobachtungen zustimmt oder widerspricht. Bitten Sie ihn um etwaige Ergänzungen, die Ihnen bei der Beantwortung der Fragen entgangen sind. Dasselbe machen Sie für Ihren Partner.

Diese partnerschaftliche Übung hilft Ihnen bei der Einschätzung, ob Ihr äußerliches Auftreten Ihren innerlichen Gefühlen und Emotionen entspricht. Wenn Sie beispielsweise geschrieben haben, dass Sie während der Rede nervös wären, Ihr Partner aber einen anderen Eindruck hätte, dann wirken Sie nach außen hin vielleicht selbstsicherer als Sie sich fühlen. Lassen Sie sich diese gegensätzlichen Gedanken eine Weile durch den Kopf gehen, um herauszufinden, ob Sie Ihre Fähigkeiten unterschätzen oder ob Sie Ihr Selbstvertrauen nur vortäuschen und in Wahrheit nervös sind. In solchen Fällen sollten Sie sich weitere Fragen zu Ihrer Selbstwahrnehmung stellen. Zum Beispiel:

Bin ich kompetenter oder weniger kompetent als es mein äußeres Auftreten vermuten lässt?

Warum nehme ich mich selbst anders wahr als andere Menschen?

In den Fällen, in denen sich Ihr Gedankengang mit dem Ihres Partners deckt, zeichnet sich ein recht getreues Bild Ihres derzeitigen Niveaus an Selbstvertrauen ab.

Kapitelzusammenfassung

Die Selbstfindungsübungen in diesem Kapitel dienen der Einschätzung dessen, wie es aktuell um Ihr Selbstvertrauen steht. Beantworten Sie jede Frage ehrlich, damit Sie die Ergebnisse in den Planungsprozess auf dem Weg zum Aufbau Ihres Selbstvertrauens einbinden können.

Kapitel 3:

Erste Schritte zu mehr Selbstvertrauen

Worin besteht der erste Schritt in Richtung positiver Veränderung? Er besteht einzig und allein darin, den ersten Schritt zu wagen. Der erste Schritt auf einer neuen Reise mag furchteinflößend erscheinen, doch ist er einmal getan, fallen alle weiteren Schritte leicht und laufen in Echtzeit ab, wenn man mitten im Geschehen steckt.

Der Weg zur Entwicklung Ihres Selbstvertrauens beginnt also mit Ihrem Entschluss, sich noch heute zu ändern und all die Änderungen von nun an vorzunehmen, die jeden Tag zum Aufbau Ihres Selbstvertrauens notwendig sind. Machen Sie den Anfang mit dem Gedanken: »Heute fühle ich mich selbstsicher, und ich werde jeden Tag nach Selbstsicherheit streben.«

Bei der Entwicklung von Selbstvertrauen handelt es sich um kein einmaliges Unterfangen, sondern um einen andauernden Prozess, der einen konstanten Lernfluss neuer Fähigkeiten erfordert. Erstellen Sie eine Liste der Fertigkeiten, die Sie zur Steigerung Ihres Selbstvertrauens benötigen. Arbeiten Sie jeden Punkt einzeln ab und üben Sie sich darin, bis Sie ihn vollständig beherrschen. Eine wachstumsorientierte Einstellung (Wachstumsdenken) ist für diesen kontinuierlichen Lernzustand ausschlaggebend.

Growth Mindset – Wachstumsdenken

Was bedeutet Growth Mindset? Der Psychologieprofessorin und Forscherin an der Universität Standford, Carol S. Dweck, wird die Prägung zweier Begriffe zugeschrieben, nämlich der Begriffe *Growth Mindset* und *Fixed Mindset* zur Unterscheidung zwischen erfolgreichen und erfolglosen Menschen.

Erfolglose Menschen neigen zum Fixed Mindset oder zum statischen Denken und sind der Auffassung, dass ihre Talente, Intelligenz und Fähigkeiten festgelegt sind und keine Veränderung durchlaufen können. Angetrieben von diesem Glauben, streben Menschen mit diesem statischen Selbstbild nicht nach Erfolg. Stattdessen jammern und beschweren sie sich und nehmen alles so hin, wie es ihnen zufällt.

Erfolgreiche Menschen haben hingegen ein Growth Mindset, wodurch sie sich im Klaren darüber sind, dass ihre Talente, Intelligenz und Fähigkeiten nicht in Stein gemeißelt sind. Menschen mit diesem dynamischen Selbstbild arbeiten hart, um sich zum Besseren weiterzuentwickeln.

Die Unterschiede zwischen Growth Mindset und Fixed Mindset umfassen u. a. folgende Punkte:

- Menschen mit einem Fixed Mindset (statischem Denken bzw. Selbstbild) gehen Herausforderungen eher aus dem Wege, wodurch sie sich auch den Weg zum Erfolg verbauen.

Personen mit einem Growth Mindset (mit dynamischem Selbstbild oder Wachstumsdenken) nehmen Herausforderungen an und sehen diese als Gelegenheit für Wachstum und Weiterbildung. Sie sind Kämpfer, die sich gerne eine Schlacht liefern, ungeachtet der Erfolgsaussichten.

- Menschen mit einem Fixed Mindset ignorieren Kritik oder lehnen sie ab. Sie nehmen Kritik nicht zur Kenntnis und meiden den Kontakt mit Leuten, die sie zur Weiterentwicklung anspornen wollen, was für sie ein weiterer wichtiger Grund dafür ist, dass sie ihre Stärken nicht ausbauen können.

Personen mit einem Growth Mindset nehmen Kritik mit der richtigen Einstellung an, lernen daraus und entwickeln sich dadurch mit jeder neuen konstruktiven Rückmeldung weiter. Sie freuen sich sogar über Feedback und sind dankbar für die kritischen Bemühungen anderer. Das Lernen aus Kritik stellt für Menschen mit einem Growth Mindset einen Hauptgrund für das Streben nach Erfolg dar.

- Menschen mit einem Fixed Mindset halten Begabung und Intelligenz für unveränderlich. Wenn sich ihr Intelligenzniveau also auf einer bestimmten Stufe befindet, dann sind sie der Meinung, dass sich ihre Intelligenz nicht weiterentwickeln lässt. So sind sie der Ansicht, dass dumme Menschen dumm bleiben und kluge Menschen klug bleiben. »Da kann man nichts machen« lautet ihre Devise. Konfuzius sagte zu diesem Thema: *»Einen Fehler machen und ihn nicht korrigieren – das erst heißt wirklich einen Fehler machen.«*

Personen mit einem Growth Mindset glauben fest daran, Intelligenz, Begabungen und Fertigkeiten durch Übung und Bildung ausbauen und weiterentwickeln zu können. Sie sind stets bereit, neues Wissen in sich aufzusaugen und neue Fertigkeiten zu erlernen.

- Menschen mit einem Fixed Mindset strengen sich nicht allzu sehr an und geben bereits nach dem ersten oder zweiten Fehlversuch auf. Sie weigern sich, aus ihren Fehlschlägen zu lernen.

Menschen mit Wachstumsdenken geben dagegen niemals auf und arbeiten hart daran, sich nach jedem Misserfolg zu verbessern. Sie nutzen die Fehlschläge aus ihrer Vergangenheit und versuchen es beharrlich weiter, bis sie zum Erfolg gelangen. Margaret Thatcher sagte einst: *»Man muss eine Schlacht oft mehr als einmal schlagen, ehe man sie gewonnen hat.«*

- Statisch denkende Menschen beneiden den Erfolg anderer mangels Selbstvertrauens und Glaubens an sich selbst.

Menschen mit einem Growth Mindset akzeptieren die Leistungen und den Erfolg anderer, denn sie wissen, dass auch sie erfolgreich sein können, wenn sie sich nur genug anstrengen. Daher gönnen sie anderen Menschen auch Glück und Erfolg.

Sie sollten sich also fragen, ob Sie eine Frau mit einem Fixed Mindset oder einem Growth Mindset sind. Sollten Sie Opfer geringen Selbstvertrauens sein, ist es recht wahrscheinlich, dass Sie einen Fixed Mindset verinnerlicht haben, da dieser beträchtlich zu niedrigem Selbstvertrauen beiträgt. Der nächste Schritt nach dem Entschluss, sich Selbstvertrauen anzueignen, besteht also in der Entwicklung eines Growth Mindsets.

Tipps zur Entwicklung eines Growth Mindsets

Im Folgenden werden einige Tipps zur Entwicklung eines Growth Mindsets aufgezeigt, die Sie sofort in die Tat umsetzen können.

Lernen Sie jeden Tag Neues dazu – Machen Sie es sich zur Aufgabe, täglich Neues dazuzulernen. Hören Sie sich Podcasts an, während Sie zur Arbeit pendeln, lesen Sie einen Artikel zu einem Thema, das für Sie persönlich von Belang ist, oder lernen Sie auch nur eine Zeile Ihres Lieblingsliedes auswendig.

Es kommt nicht darauf an, alles auf Anhieb richtig zu machen. Durch das Lernen wird dem Gehirn lediglich signalisiert, dass

Sie es mit neuen Informationen füttern, die es aufzunehmen und zukünftig abzurufen gilt. Wissen ist Macht, auch in der heutigen Zeit. Lassen Sie keinen einzigen Tag verstreichen, ohne dass Sie etwas Neues lernen.

Machen Sie Ihren Lernerfolg von niemandem abhängig. Dank der immer weiterwachsenden Welt des Internets stehen Ihnen heute alle Informationen offen. Suchen Sie nach Online-Kursen, lesen Sie Artikel, unterhalten Sie sich mit Leuten, die sich auf dem Gebiet, über das Sie mehr erfahren wollen, auskennen. Knüpfen Sie neue Kontakte so oft Sie können, um sich mit unterschiedlichen Perspektiven auf das Leben mit all seinen Tücken vorzubereiten.

Umgeben Sie sich mit positiv eingestellten Menschen – Der weltbekannte Motivationstrainer und Selbsthilfelautor Jim Rohn sagt: *»Du bist der Durchschnitt der fünf Menschen, mit denen du die meiste Zeit verbringst.«*

Wenn Sie sich also einen Growth Mindset aufbauen möchten, dann sollten Sie sich mit Menschen umgeben, die einen Growth Mindset haben. Die Menschen, mit denen Sie Umgang pflegen, haben erheblichen Einfluss auf Ihre Stimmung sowie Ihre Verhaltens- und Lebensweise. Daher wäre es Ihrem Erfolg nicht zuträglich, wenn Sie Ihre Zeit mit Leuten verbringen, die einen Fixed Mindset haben, wo Sie doch eigentlich einen Growth Mindset entwickeln wollen.

Stellen Sie sich Ihren Ängsten – Angst kann derart lähmend wirken, dass Sie auf der Stelle treten und unfähig sind, auch nur einen Finger zu rühren. Wenn Sie sich den Herausforderungen des Lebens stellen wollen, müssen Sie sich erst Ihren Ängsten stellen. Diese Ängste können vielfältig sein: die Angst vor dem Versagen, die Angst, unbeliebt zu sein, nicht gemocht zu werden, seinen Geliebten zu verlieren und viele mehr.

Eleanor Roosevelt sagte einmal: *»Stärke, Mut und Selbstvertrauen erlangt man durch jede Erfahrung, in der man der Angst* *in die Augen sieht und zu sich sagen kann: ›Ich habe schon so schreckliche Zeiten durchlebt. Ich kann es mit allem aufnehmen, was da noch kommen mag.‹«*

Es war ihr Mut dazu, sich ihren Ängsten zu stellen, der es der ehemaligen First Lady ermöglichte, selbst zu einer Führungspersönlichkeit zu werden und zahlreiche Vorhaben zum Wohle der Menschheit im Allgemeinen und der Frauen im Besonderen umzusetzen.

Haben Sie niemals Angst davor, Fehler zu machen – Fehler bedeuten nicht das Ende der Welt. In Wahrheit tragen sie sogar maßgeblich zum Erfolg bei. Egal, welche erfolgreiche Frau Sie auch fragen, sie wird Ihnen bestätigen, dass Fehler bei ihrer Entwicklung weit mehr geholfen haben als Erfolgsmomente. Fehler:

- steigern unser Bedürfniss nach neuem Wissen
- stärken unser Mitgefühl gegenüber anderen und uns selbst
- befreien uns aus unseren lähmenden Ängsten und Selbstzweifeln und ermöglichen eine erhöhte Risikobereitschaft
- beleben unserer Motivation, die oft im Lärm unserer Alltagssorgen untergeht

Wenn Sie etwas Neues in Angriff nehmen, dann machen Sie sich darauf gefasst, dass das ein oder andere schiefgehen wird, und dass Sie gegen äußere und innere Widrigkeiten ankämpfen müssen, um Ihr Ziel zu erreichen. Doch Ihre Mühen werden sich lohnen, denn am Ende jeder Aufgabe wird Ihr Niveau an Selbstvertrauen beträchtlichen Auftrieb erhalten.

Erlernen und Üben neuer Fertigkeiten

Einer der Hauptgründe für ein geringes Selbstvertrauen ist der Mangel an ausreichenden Fertigkeiten oder Fähigkeiten. Machen Sie die Bereiche ausfindig, in denen es Ihnen an Kompetenz mangelt, und arbeiten Sie hart daran, sich diese Kompetenzen anzueignen und zu beherrschen – ein sicherer Weg zu mehr Selbstvertrauen. Hier nun einige Tipps zum Erlernen und Beherrschen neuer Fertigkeiten:

Bleiben Sie neugierig – Neugierde spielt eine Schlüsselrolle bei der Steigerung Ihres Wissens- und Kompetenzniveaus. Wenn Sie im Büro etwas in Erfahrung bringen, von dem Sie wissen, dass es Ihre berufliche Laufbahn vorantreiben wird, dann gehen Sie nach Hause, stellen Sie umfassende Recherchen an und eignen Sie sich zusätzliches Wissen zu diesem Thema an.

Fragen Sie nach dem Warum, Was, Wie, Wann usw. Suchen Sie nach den Antworten auf diese Fragen und sammeln Sie so viele Informationen, bis Ihre Neugierde vollständig gestillt ist. Allerdings sollten Sie nichts unhinterfragt lassen. Konsultieren Sie stets mehrere Quellen und stellen Sie sicher, dass Sie das betreffende Thema aus verschiedenen Blickwinkeln betrachten.

Die Beherrschung einer Fertigkeit stellt sich ein, wenn Sie beim Lernen eine mehrgleisige Herangehensweise wählen. Und wenn Sie in einem bestimmten Gebiet einmal bewandert sind, wird man in Scharen zu Ihnen strömen, um Sie nach Rat, Antworten und Vorschlägen zu fragen. Infolgedessen wird Ihr Selbstvertrauen massiv gestärkt.

Seien Sie vielseitig – Eignen Sie sich Wissen auf verschiedenen Gebieten an – ob im Büro, in der Küche oder als Mutter. Bringen Sie sich Neues über Musik bei und informieren Sie sich über aktuelle Themen.

Wenn Sie in vielen Bereichen bewandert sind, sind Sie auch in der Lage, an jedem Gespräch mit Menschen jeden Alters, Geschlechts, jeder Ethnie und Gemeinschaft teilzunehmen. Sich mit mehreren Gebieten zu befassen, hilft Ihnen dabei, sich in vielen Situationen selbstsicherer zu fühlen und somit zur Entwicklung Ihres Selbstvertrauens beizutragen.

Es ist nicht notwendig, ein Alleskönner zu sein. Allerdings ist es wesentlich, mit den Grundlagen so vieler Themenbereiche wie möglich vertraut zu sein. Auf diese Weise können Sie an Gruppenkonversationen teilnehmen, mehr Wissen aus Gesprächen ziehen und sich mehr als Teil der Gruppe fühlen.

Suchen Sie sich Vorbilder und Mentoren – Vorbilder dienen als Maßstäbe und helfen Ihnen dabei, sich greifbare Ziele zu setzen, die Sie erreichen wollen. Vorbilder erleichtern das Erlernen und die Entwicklung Ihrer Fähigkeiten, da sie Ihnen einen Ausblick auf die zu erreichenden Ziele bieten.

Mentoren hingegen unterstützen Sie aktiv bei der Erfüllung Ihrer Träume. Mentoren schrecken nicht davor zurück, Sie darauf aufmerksam zu machen, wenn Sie vom eingeschlagenen Weg abweichen. Als Ihre wohlmeinenden Freunde zögern Mentoren auch nicht mit konstruktiver Kritik.

Manchmal sind Vorbild und Mentor in einer Person vereint. Wenn Sie etwa wie Ihre Mutter sein möchten, kann diese auch Ihre Mentorin sein, die Sie auf Ihrem Weg leitet. Wenn Sie aber mehr wie Michelle Obama sein möchten, dann sollten Sie sich jemanden als Mentor suchen, der Ihnen nähersteht.

Kapitelzusammenfassung

In diesem Kapitel wurden Vorteile und Bedeutung des Growth Mindsets zur Entwicklung von Selbstvertrauen erörtert. Darüber hinaus haben Sie erfahren, wie und warum Sie sich neue Fertigkeiten aneignen und bestehende Fertigkeiten verbessern sollten.

Kapitel 4:

Selbstbewusstsein – Bestimmung Ihrer Grundwerte

Wertvolle Menschen verleihen Ihrem Leben Wert. Partner, Kinder, Freundinnen, Eltern, Vorgesetzte und andere – Sie alle beeinflussen Ihre Denk- und Verhaltensweise. Diese Menschen fungieren als eine Art Wegweiser, die Ihnen den Weg leuchten, damit Sie die Richtung zu Ihrem Traumziel nicht aus den Augen verlieren. Doch inwiefern treten diese Menschen als Ihre Wegweiser auf?

Nehmen wir Ihre Kinder als Beispiel. Sie schätzen Ihre Kinder, und eines Ihrer Lebensziele besteht darin, ihnen eine solide Ausbildung zuteilwerden zu lassen, damit sie zu stolzen und verantwortungsbewussten Menschen heranwachsen. Also lassen Sie sich in einer Gegend nieder, die über gute Schulen verfügt. Sie würden auch lange Arbeitswege in Kauf nehmen, solange Ihre Kinder die beste Schule besuchen können. Daher beruhen viele Ihrer Entscheidungen auf dem Wert und der Priorität, die Sie den verschiedenen Menschen in Ihrem Leben beimessen.

So stellen Ihre Grundwerte Merkmale oder Eigenschaften dar, die Sie auf Ihrem Lebensweg leiten. Diese bestimmen Ihre Handlungen und Ihr Verhalten. Angenommen, Ehrlichkeit zählt zu Ihren Grundwerten. Wenn Sie also in einer bestimmten Situation vor der Entscheidung stehen, entweder die Wahrheit zu sagen oder eine Lüge zu erfinden, leitet Sie Ihr Grundwert dazu an, bei der Wahrheit zu bleiben, was Ihnen die Findung der richtigen Entscheidung erleichtert.

Grundwerte, auch persönliche Werte genannt, machen das Leben nicht nur lebenswert und heben die Moral, sondern sie sind auch die treibende Kraft hinter Ihren Zielen und Absichten. Sheila Murray Bethel, eine der einflussreichsten Business Speaker unserer Zeit, sagt: *»Sie sind der Erzähler Ihrer eigenen Lebensgeschichte, und es liegt an Ihnen, Ihre eigene Legende zu schaffen.«* Es liegt also ganz an Ihnen, Ihre persönlichen Werte zu gestalten.

Ihre Grundwerte definieren Sie, Ihre Persönlichkeit und auch das, wofür Sie eintreten. Sie stellen Lebensgrundsätze dar, an die sie fest glauben und die sie typischerweise fest verinnerlicht haben. Sie müssen Sie nur entdecken bzw. formulieren. Ihre Grundwerte werden dann zum Wegweiser Ihres Lebens. Wenn Sie Ihre Grundwerte nicht kennen, dann fällt es schwer, Ihr Leben zu planen und so zu führen, wie Sie es sich wünschen.

Grundwerte dienen Ihnen als ein Kompass, der genau anzeigt, welche Entscheidungen zu treffen sind und wie Sie leben, agieren und sich verhalten sollten, um Ihr Lebensziel zu erreichen. Sie sind Ihr inneres Navigationssystem und sie bilden den Maßstab Ihrer Moral und Kompetenz. Für Ihre Grundwerte würden Sie Ihr Leben aufs Spiel setzen, und Ihre Grundwerte sind es auch, durch die Sie in Erinnerung behalten werden möchten, wenn Sie eines Tages nicht mehr auf dieser Welt sind.

Rufen Sie sich eine Ihrer Lebenserfahrungen in Erinnerung, die Sie empfindlich getroffen hat, weil Sie tief in Ihrem Inneren wussten, dass etwas nicht stimmte. Welche Emotionen gingen Ihnen durch den Kopf? Diese negativen Gefühle müssten ausnahmslos darin begründet gewesen sein, dass sich Ihre Taten und Verhaltensweisen nicht mit Ihren Grundwerten deckten. Psychologen sind der Meinung, dass übermäßiger Stress und Angstgefühle zum größten Teil daher rühren, dass unsere Handlungen und Verhaltensweisen nicht mit unseren inneren Werten übereinstimmen.

Es gibt hunderte von Grundwerten. Jedoch richten die meisten von uns ihr Leben nach den fünf bis zehn wichtigsten Werten aus, die sich im Laufe des Lebens ändern und verlagern können. Grundwerte können auch unbewusst aus Familie, Religion, Freunden, Schulleben, Vorbildern, Printmedien, sozialen Medien etc. geschöpft werden.

Grundwerte sind relativ unveränderlich und bleiben über längere Zeiträume unangetastet. Hierbei ist allerdings zu beachten, dass es völlig gerechtfertigt ist, seine Grundwerte zu ändern, indem man diejenigen aus seinem Leben streicht, die keinen Sinn mehr ergeben, oder indem man Werte, die an Bedeutung gewonnen haben, hinzufügt.

Merkmale der Grundwerte

Wie definiert man die Grundwerte seines Lebens? Welche Leitlinien kommen dabei zur Anwendung? Im Folgenden werden einige Merkmale von Grundwerten angeführt, die Sie bei der Findung Ihrer persönlichen Werte unterstützen sollen.

1) Grundwerte sollten praktisch in ihrer Anwendung sein. Sie müssen nicht nur ihre Anwendungstechniken kennen, sondern auch den konkreten Zusammenhang, in dem Sie sie anwenden.

Nehmen wir zum Beispiel an, dass Integrität zu Ihren Grundwerten gehört. Wenn im Büro etwas schiefläuft, dann sollte Sie dieser Grundwert dazu antreiben, das Problem Ihren Vorgesetzten zu melden. Wenn Sie aber zu Hause Ihr Kind dazu bringen wollen, sein Gemüse aufzuessen und dabei mit »dem bösen, schwarzen Mann« drohen, dann sollte dies Ihren Grundwerten nicht wirklich entgegenstehen, nicht wahr?

2) Jeder Ihrer Grundwerte sollte auch wertenden Charakter besitzen. Das heißt, dass Sie sie in »Richtig«, »Falsch« oder »Wünschenswert« unterscheiden können.

Die Grundwerte jedes Menschen sind in ihrer Zusammenstellung einzigartig. Wie ein Fingerabdruck unterscheiden sich die persönlichen Werte eines Menschen von denen eines anderen.

3) Grundwerte sollten unabhängig von Ihrer körperlichen Verfassung anwendbar sein. Körperliche Fitness beispielsweise eignet sich nicht als Grundwert. Wenn Sie krank oder bettlägerig sind, oder aus irgendeinem anderen Grund an einen Ort gebunden sind, kann ein Wert wie körperliche Fitness womöglich nicht umgesetzt werden.

Integrität oder Ehrlichkeit können hingegen unabhängig von Ihrem körperlichen Zustand zur Anwendung kommen. Ehrlichkeit können Sie auch im Krankenbett an den Tag legen.

4) Grundwerte sollten unabhängig von äußeren Faktoren existieren. So kann Beliebtheit beispielsweise kein Grundwert sein, da zur Erlangung von Beliebtheit die Zuneigung anderer Menschen vonnöten ist.

Selbsteinschätzungsübung zur Findung bzw. Bestimmung Ihrer Grundwerte

Wie ermitteln Sie, welche der über 400 Grundwerte Sie definieren? Darunter fallen beispielsweise Disziplin, Liebe, Ehrlichkeit, Besonnenheit, Integrität, Ehrgeiz, Spaß, Gesundheit, Freundschaft, Achtung, Ausgeglichenheit, Familienverbundenheit und viele, viele mehr. Im Allgemeinen wurden die meisten von uns mit bestimmten Grundwerten geboren, die unbewusst in unseren Handlungen und Verhaltensweisen zum Ausdruck kommen. Diese Übung dient allein der Entdeckung sowie der angemessenen Bezeichnung Ihrer Grundwerte, um Ihr Selbstbewusstsein zu stärken. Dies erfolgt anhand der folgenden Fragen:

Was waren die fünf größten Erfolgsmomente bzw. glücklichsten Erfahrungen in Ihrem Leben?

Beschreiben Sie das Erlebnis ausführlich. Wann fand es statt? Wie alt waren Sie? Welche Menschen waren Teil dieses Erlebnisses?

___

___

___

Von welchen Emotionen wurden Sie während dieser glücklichen Erfahrung beherrscht?

___

___

___

Welche Gedanken gingen Ihnen durch den Kopf?

___

___

___

Welche Grundwerte waren damals vorwiegend im Spiel? Wenn das Ereignis in Ihrer Kindheit liegt, ist es wahrscheinlich, dass Sie noch kein Verständnis darüber hatten, was Grundwerte sind. Wenn Sie sich nun aber diese schönen Erinnerungen ins Gedächtnis zurückrufen, sollten die damals vorherrschenden Grundwerte leicht zu erfassen sein.

___

___

___

Was waren die fünf schlimmsten Misserfolge bzw. unglücklichsten Erfahrungen in Ihrem Leben?

Beschreiben Sie das Erlebnis ausführlich. Wann fand es statt? Wie alt waren Sie? Welche Menschen waren Teil dieses Erlebnisses?

___

Von welchen Emotionen wurden Sie während dieser unglücklichen Erfahrung beherrscht?

Welche Gedanken gingen Ihnen durch den Kopf?

Welche Grundwerte glauben Sie während dieser Ereignisse unterdrückt zu haben?

Als Nächstes ermitteln Sie Ihren Verhaltenskodex

Zu diesem Zweck sollten Sie sich folgende Fragen stellen:

- Welche Komponenten, abgesehen von meinen Grundbedürfnissen wie Nahrung, Kleidung und Wohnung, betrachte ich für eine sinnvolle Lebensführung als wesentlich?
- Was sind das für Komponenten, ohne die ich zwar überleben, aber kein erfülltes Leben führen kann?

Im Folgenden sind einige Beispiele aufgelistet, die Ihnen beim Verständnis Ihres Verhaltenskodexes behilflich sind:

- Natur und die Schönheit der Natur
- Vitalität und Gesundheit
- Lernen und Weiterbildung
- Abenteuerlust und Begeisterung

- Kreativität

Fassen Sie ähnliche Werte zusammen

Aus den Antworten zu den oben gestellten Fragen ergibt sich eine Auflistung jener Grundwerte, die in Ihrem Leben Vorrang haben. Diese Liste fällt wahrscheinlich recht lange und unübersichtlich aus. Daher sollten Sie nun die Grundwerte mit ähnlicher Bedeutung kombinieren und zusammenfassen. Zum Beispiel so:

- Leistung, Erfolg, Produktivität, Ehrgeiz und ähnliche Begriffe können kombiniert werden.
- Großzügigkeit, Selbstlosigkeit, Hilfsbereitschaft, Güte und weitere, ähnliche Werte können ebenfalls kombiniert werden.

Nun dürfte Ihre Liste schon leichter zu handhaben sein. Fassen Sie jede Reihe von Grundwerten unter einem Begriff zusammen.

Hierbei ist es wichtig, dass die Anzahl Ihrer ausgewählten Grundwerte fünf bis zehn nicht überschreitet. Sollte Ihre Liste aus weniger als fünf Werten bestehen, sind womöglich nicht alle wichtigen Aspekte Ihres Lebens abgedeckt. Sollte sie jedoch aus mehr als zehn bestehen, könnten Sie rasch den Überblick verlieren.

Anschließend stufen Sie die einzelnen Grundwerte auf Ihrer Liste nach Bedeutung ein. Dies kann mehr Zeit in Anspruch nehmen als gedacht, da sich die Einstufung von Werten, die gleichermaßen bedeutsam scheinen, als eine herausfordernde Aufgabe herausstellen kann. Hierzu ein kleiner Tipp: Greifen Sie Ihre guten und schlechten Erfahrungen erneut auf und versuchen Sie, die Intensität der Gefühle und Gedanken, die die einzelnen Erfahrungen prägten, festzustellen. Je stärker die Intensität, desto höher die Einstufung.

Nachdem Sie die Liste Ihrer Grundwerte aufgestellt und diese nach Wichtigkeit eingestuft haben, sollten Sie sie auf Klebezettelchen schreiben, die sie dann überall und leicht ersichtlich verteilen. Dies wird Ihnen dabei helfen, sich die Grundwerte immer wieder zu vergegenwärtigen, damit Sie sie sich vor jeder Lebensentscheidung in Erinnerung rufen können.

Kapitelzusammenfassung

In diesem Kapitel wurde Ihnen die Bedeutung klar definierter Grundwerte aufgezeigt, mit denen Sie ein bedeutungsvolleres Leben als zuvor führen können. Zudem wurde Ihnen eine benutzerfreundliche Vorlage von Fragen mit einigen grundlegenden Anweisungen (die Sie für Ihre Erfordernisse abändern können) zur Findung sowie Bestimmung Ihrer Grundwerte an die Hand gegeben.

Kapitel 5:

Setzen von Zielen zur Erfüllung Ihres Lebenszwecks

Sie kennen also Ihre Grundwerte, und Sie haben dafür gesorgt, dass diese tief in Ihnen verankert sind. Nun sollten Sie sie dazu nutzen, sich Lebensziele und -aufgaben zu schaffen. Aufgaben und Ziele tragen zu einem sinnvolleren und erfüllteren Leben bei.

Für viele von uns stellt es eine Herausforderung dar, eine Bestimmung zu finden. Dennoch müssen wir uns auf dieses Terrain begeben. Die Schriftstellerin, Fernsehproduzentin, Sängerin und Texterin Barbara Hall sagt: *»Der Weg zu unserer Bestimmung verläuft nicht immer gerade. Wir biegen falsch ab, verirren uns und kehren um. Vielleicht spielt es auch keine Rolle, welchen Weg wir beschreiten. Vielleicht zählt auch nur, dass wir überhaupt einen beschreiten.«*

Bedeutung von Lebenszielen

Winston Churchill sagte: *»Gelebt zu haben ist nicht genug. Wir sollten entschlossen sein, für etwas zu leben.«* Einen Lebenzweck zu haben, der in zeitgebundene Ziele aufgeteilt ist, bringt mehrere Vorteile mit sich. Dies sind nur einige davon:

Ein Lebenszweck verleiht Ihrem Leben Sinn und Wert – Im Gegensatz zu Tieren benötigen Menschen einen Sinn im Leben. Man kann nicht einfach nur essen, schlafen, sich fortpflanzen und all das tun, was andere Lebewesen auch tun, und dann

Glück und Zufriedenheit erwarten. Die Natur des Menschen ist zunächst darauf eingestellt, einen Sinn zu finden. Ein Leben ohne Ziel ist ein Leben ohne Sinn, was wiederum zu individueller Hoffnungslosigkeit und Bedeutungslosigkeit führt. Ein bekanntes Zitat in Bezug auf Lebensziele lautet wie folgt: »Eine Lebensbestimmung ist die Bestimmung des Lebens.«

Die Findung Ihrer Ziele und das Wissen um Ihren Lebenszweck erleichtern das Leben – Ihr Lebenszweck wird zu Ihrer Leitlinie, die Ihnen dabei hilft, Wichtiges von Unwichtigem zu unterscheiden. Indem Sie Tätigkeiten, die nicht mit Ihren Zielen im Einklang stehen, aus Ihrem Leben verbannen, lösen Sie sofort jegliches Durcheinander auf, was Ihnen das Leben erleichtert.

Wenn Sie Ihr Leben nach Ihren Zielen ausrichten, befreien Sie sich von jeglicher Zusatzlast. Zusätzlich wird die Entscheidungsfindung vereinfacht, und Sie werden Ihre Zeit und Kraft sinnvoll einsetzen können, ohne sie auf Aufgaben zu verschwenden, die nichts mit Ihren Zielen zu tun haben.

Ein Lebenszweck richtet Ihr Augenmerk auf den Weg, den Sie eingeschlagen haben – Definierte Lebensziele verleihen Ihnen den Blick für das Wesentliche. Sie wissen, welche Richtung Sie einschlagen müssen. Und die Zwischenziele, die Sie sich stecken, um dorthin zu gelangen, bereiten Ihnen den Weg und sorgen dafür, dass Sie Körper und Geist auf Ihre Bestimmung konzentrieren.

Ohne Lebenzweck können Sie Ihre Kräfte und Mittel nicht zielgerichtet einsetzen, was Sie daran hindert, etwas zu erreichen. Zudem halten Sie Ihre Lebensziele davon ab, vom Weg abzukommen. Wenn Sie sich beispielsweise zum Ziel setzen, die Leitung in Ihrem Büro zu übernehmen, dann besteht Ihr Weg aus vielen kleinen Schritten in Richtung Ihres endgültigen Karrierezieles. Wann immer Sie Gefahr laufen, sich von Tätigkeiten, die Ihrem endgültigen Ziel entgegenstehen, ablenken zu lassen, macht Sie

Ihr Verstand darauf aufmerksam und hindert Sie daran, von Ihrem Weg abzuschweifen.

Ein Lebenszweck hält Sie davon ab, wichtige Dinge aufzuschieben – Wenn Sie sich dessen bewusst sind, dass Sie ein bestimmtes Ziel innerhalb einer bestimmten Zeit erreichen müssen, lässt Ihr Verstand die Alarmglocken läuten, sobald Sie sich einer Tätigkeit hingeben, die alles andere nur aufschiebt. Angenommen, Sie sind mit einem gutaussehenden Mann um 20 Uhr in einem Restaurant verabredet. So sollten Sie vorgehen:

- Sorgen Sie dafür, dass Sie Ihr Büro rechtzeitig bis 18 Uhr verlassen.
- Gehen Sie zuhause direkt zu Ihrem Kleiderschrank und suchen Sie aus, was Sie anziehen wollen.
- Gehen Sie anschließend schnell ins Badezimmer, um sich frisch zu machen.
- Ziehen Sie sich um und nehmen Sie sich etwas Zeit fürs Make-up.
- Bis 19:30 Uhr sind Sie fertig.
- Brechen Sie schließlich auf, damit Sie kurz vor 20 Uhr ankommen.

Höchstwahrscheinlich wurden Sie durch soziale Medien, E-Mail-Benachrichtigungen oder den Anruf einer engen Freundin abgelenkt. Ihr Ziel, um 20 Uhr im Restaurant zu erscheinen, sorgte allerdings dafür, dass Sie die Verabredung nicht aufgeschoben haben und sich von all diesen ablenkenden Beschäftigungen ferngehalten haben, die Sie von Ihrem Ziel abbringen.

Möglicherweise haben Sie während der gesamten Übung nicht einmal gemerkt, wie sehr Sie sich auf Ihr Ziel konzentriert haben. Auf diese Weise werden Sie durch Ihre tief verwurzelten Ziele auf der Spur gehalten und daran gehindert, den diversen Ablenkungen zu erliegen.

Aus diesem Grunde ist es unerlässlich, einen Lebenszweck zu finden und diesen auf jährliche, monatliche, wöchentliche und tägliche Ziele aufzuteilen, damit Sie sie genau verfolgen und die Erreichung Ihres endgültigen Zieles gewährleisten können.

Selbstfindungsfragen vor der Zielsetzung

Sie müssen Ihre eigene Bestimmung im Leben finden. Niemand kann Sie zu einer Bestimmung zwingen. Sie müssen sie freien Willens wählen, damit Sie in den Genuss all der zuvor angeführten Vorteile kommen können. Sobald Sie Ihre Lebensbestimmung aufgezwungen bekommen, trifft diese Bezeichnung nicht mehr zu. Denn dies würde bedeuten, dass Sie das Leben eines anderen statt Ihres eigenen führen.

Tennisstar Venus Williams sagt: *»Ich konzentriere mich nicht darauf, gegen wen ich antrete, ich konzentriere mich einzig auf meine Ziele, und alles andere regelt sich von selbst.«*

Beantworten Sie die folgenden, der Selbstreflexion dienenden Fragen, bevor Sie Ihre Lebenszwecke und -ziele niederschreiben. Ihre Ziele werden aus den Antworten hervorgehen.

Was bereitet Ihnen zu Hause und auf der Arbeit am meisten Vergnügen?

____

____

____

____

Wovon hätten Sie gerne mehr?

____

____

____

____

Wie sieht Ihr derzeitiger Status aus? Hierbei sollten Sie eine Beschreibung Ihrer derzeitigen Qualifikationen, Ihres Berufes, Ihrer Rolle zu Hause etc. abgeben. Führen Sie auch an, wie Sie diese Dinge erreicht haben.

____
____
____
____

Wo sehen Sie sich in fünf bis zehn Jahren? Hierbei sollten Sie angeben, welche Ziele Sie aus welchem Grund in Ihrem Berufs- und Privatleben erreichen möchten.

____
____
____
____

Was wollen Sie für die Erreichung der Ziele, die Sie sich gesteckt haben, tun? Ist dazu eine Weiterbildung erforderlich? Benötigen Sie irgendwelche Hilfe dazu? Wie wollen Sie die betreffenden Personen um Hilfe bitten? Machen Sie ausführliche Angaben über Ihre Pläne. Dies soll Ihren Fünf- bzw. Zehn-Jahresplan darstellen, je nach Zeitrahmen Ihres Lebenszwecks. Ihre Pläne sollten Sie in jährliche, monatliche, wöchentliche und tägliche Ziele aufgliedern.

____
____
____
____

Wie wollen Sie Ihre Fortschritte messen? Welchen Maßstab wollen Sie anlegen?

____
____
____
____

Tagesziele

Bevor Sie sich nachts zu Bett begeben, sollten Sie Ihre Ziele für den kommenden Tag anhand dieser Vorlage festlegen. Dies kann auch als tägliche To-Do-Liste dienen:

Was ist mein Ziel für morgen?

____

____

Was muss ich zur Erreichung dieses Tagesziels tun?

____

____

Hierzu einige typische Beispiele für Frauen, die Sie in die Liste Ihrer Tagesziele einbinden sollten:

- Betreiben Sie Morgengymnastik oder Yoga (dies kann zum Beispiel Teil Ihres Zieles sein, körperliche Fitness zu erlangen).
- Nehmen Sie auf ein gesundes Frühstück zu sich.
- Meditieren Sie fünf Minuten lang, bevor Sie zur Arbeit aufbrechen.
- Beenden Sie die festgelegten Aufgaben auf der Arbeit.
- Verbringen Sie wertvolle Zeit mit der Familie.

Wochenziele

Wochenziele sollten im Allgemeinen sonntags festgelegt werden. Sollten Sie sich den Sonntag jedoch für sich und Ihre Familie freihalten wollen, dann achten Sie darauf, dass Sie sich Ihre Ziele samstagabends setzen.

Was sind meine Ziele für diese Woche?

____

____

____

Was muss ich zur Erreichung dieses Wochenziels tun?

____

____

____

____

Monatsziele

Was sind meine Ziele für diesen Monat?

____

____

____

____

Was muss ich zur Erreichung meiner Monatsziele tun?

____

____

____

____

Jahresziele

Was sind meine Ziele für dieses Jahr? Hier könnten Sie Ihre Neujahrsvorsätze angeben. Achten Sie allerdings darauf, dass Ihre Vorsätze mit Ihrem ursprünglichen Ziel im Einklang stehen.

____

____

____

____

Was muss ich zur Erreichung meiner Jahresziele tun?

____

____

____

____

Kapitelzusammenfassung

Dieses Kapitel enthielt Einblicke und Ideen zu Lebenszweck und Lebenszielen. Sie haben von der Bedeutung und den Vorteilen der Zielsetzung erfahren. Das Kapitel enthält darüber hinaus Fragen zur Selbstfindung, die Sie bei der Erreichung Ihrer Ziele unterstützen, sowie Vorlagen für die tägliche, wöchentliche, monatliche und jährliche Zielsetzung.

Kapitel 6:

Tipps und Tricks zur Entwicklung von Selbstvertrauen – Teil I

Welche Tipps und Vorschläge zum Aufbau von Selbstvertrauen gibt es? Die beiden folgenden Kapitel bieten Ihnen wertvolle Tipps zur Entwicklung von Selbstvertrauen.

Affirmationen für mehr Selbstvertrauen

Was sind Affirmationen? Affirmationen sind positive Aussagen, die zur Motivierung und Stärkung Ihrer inneren und äußeren Aura beitragen. Affirmationen bestehen in kurzen Sätzen, die Sie sich täglich vorsagen, um sich entweder bei der Erreichung Ihrer Ziele zu unterstützen oder manchmal auch nur, um sich besser zu fühlen.

Louise Hay ist eine der einflussreichsten Befürworterinnen positiver Affirmationen. Jedes Kapitel in ihrem Selbsthilfe-Bestseller *Gesundheit für Körper und Seele* beginnt mit einer positiven Affirmation. Affirmationen geben Ihnen die Kraft, auf die Verwirklichung Ihrer Träume hinzuarbeiten.

Vorteile von Affirmationen

- Tägliche Affirmationen steigern Ihre Fähigkeit, zwischen positiven und negativen Gedanken zu unterscheiden, und ermöglichen es Ihnen, Ihre Gedanken vor negativen Einflüssen zu bewahren.

- Wenn Sie eine Affirmation täglich wiederholen und auf Ihre Träume hinarbeiten, bringen Sie Gedanken und Handlungen miteinander in Einklang, was Ihren Anstrengungen zur entsprechenden Wirkung verhilft. Affirmationen erhöhen Ihr Konzentrations- und Motivationsniveau.

- Affirmationen stehen im Zusammenhang mit dem Gesetz der Anziehung. Je mehr Sie einen positiven Gedanken bekräftigen, desto mehr Menschen und Ressourcen, die zur Verwirklichung dieses Gedankens notwendig sind, ziehen Sie an.

- Affirmationen helfen Ihnen dabei, eine dankbare Einstellung zu wahren. Durch Affirmationen können Sie die Vielzahl an guten Dingen im Leben, für die Sie Dankbarkeit zeigen müssen, deutlicher wahrnehmen.

- Affirmationen fördern Ihre positive Einstellung, die direkten Einfluss auf Ihr Selbstvertrauen hat.

Probieren Sie die folgenden Affirmationen aus, die dem Aufbau von Selbstvertrauen dienen. Sagen Sie sie sich so oft wie möglich vor. Sie können sich auch selbst Affirmationen ausdenken:

- Ich bin achtsam, ruhig und selbstsicher.
- Ich bin mit meinem derzeitigen Ich zufrieden, auch wenn ich mich weiterhin verbessere.
- Ich vertraue auf meine Stärken und Fähigkeiten, mit deren Hilfe ich Hindernisse überwinde.
- Ich habe sowohl mit mir als auch mit anderen Mitgefühl.
- Ich bin stark, klug und voller Kraft.
- Ich genüge mir selbst.
- Mein bester und wichtigster Freund bin ich selbst.

- Ich bin für das Geschenk des Lebens dankbar und ich werde danach streben, ein bedeutungsvolles und sinnvolles Leben zu führen.
- Ich habe viel aus Herausforderungen gelernt.
- Ich bin eine einzigartige Frau, und diese Einzigartigkeit ist meine Individualität.
- Ich glaube daran, dass ich mich mit jedem neuen Tag noch mehr verbessere.
- Ich verdiene meine Träume, denn ich erfülle sie mir durch harte Arbeit.
- Ich glaube daran, dass ich meinen Verpflichtungen zur vollsten Zufriedenheit nachkomme.
- Ich habe eine positive Einstellung, und ich hole immer das Beste aus einer Situation heraus.
- Ich nehme Komplimente gerne an, denn ich weiß, dass ich Sie verdiene.
- Ich bin dankbar für das Leben und für alles, was es zu bieten hat.
- Ich zögere nicht mit Lob, wenn jemand gute Arbeit leistet.
- Ich befinde mich in einem konstanten Lernzustand, und ich ziehe auch aus Worst-Case-Szenarien wertvolle Lehren.
- Ich habe Talente und arbeite hart daran, diese voranzutreiben.
- Ich arbeite und lerne mit Begeisterung.
- Ich behandle meine Fehler als Lernmöglichkeiten und blicke nach vorne.

Ziehen Sie sich an Ihren Lieblingsort zurück und stellen Sie sicher, dass Sie für eine Weile ungestört sind, wann immer Sie spüren, dass Ihr Niveau an Selbstvertrauen etwas abebbt. Schließen Sie Ihre Augen und entscheiden Sie sich für eine Affirmation, die zu Ihrer gegenwärtigen Situation passt. Denken Sie fünf Minuten lang wiederholt an diese Affirmation, während Sie sich zusätzlich auf die positiven Aspekte Ihres Lebens konzentrieren.

Auch Affirmationen wirken keine Wunder und lassen Ihre Probleme nicht einfach verschwinden. Allerdings zwingen Affirmationen Ihr ganzes Wesen, in Harmonie zu arbeiten, und erhöhen damit Ihre Chancen, innovative Lösungen für die unzähligen Probleme des Lebens zu finden.

Visualisierungstechniken für mehr Selbstvertrauen

Oprah Winfrey, die eine der einflussreichsten Frauen unserer Zeit ist und wahrscheinlich bereits alle Arten von Problemen erfahren und überwunden hat, die das Leben bereithält, sagt: *»Man kann seine Realität tatsächlich auf Grundlage seiner Denkweise ändern.«*

Visualisierung kann auch als »Tagträumen« bezeichnet werden, ist aber von einem ausgeprägten Zweckbewusstsein begleitet. Visualisierung trägt dazu bei, Ihre Visionen und Träume herauszukristallisieren. Das berühmte Beachvolleyball-Duo Kerri Walsh und Misty May-Treanor bedient sich oft der Visualisierung, um Erfolge zu erzielen. Im Geiste saugen sie bereits alle Gerüche, Klänge und allen Siegesjubel auf, bevor sie sich überhaupt dem Match auf dem Spielfeld stellen. Arnold Schwarzenegger träumte von einem Körper, wie ihn sein Vorbild Reg Park hatte. Jim Carrey stellte sich vor, einen 10-Millionen-Dollar-Scheck in seiner Hand zu halten.

Wie funktioniert Visualisierung? Angenommen, Sie stellen sich eine Situation vor, in der Sie einsam und allein sind, und niemand liebt oder kümmert sich um Sie. Was geschieht dann mit Ihrem Körper? Ihr Körper krümmt sich und vor lauter Traurigkeit hängen Ihre Schultern herab, nicht wahr? Wenn Sie ganz fest an eine traurige Situation denken, ist es oft sogar so, dass Ihnen unbewusst Tränen in die Augen schießen.

Stellen Sie sich nun eine freudvolle Situation vor. Vielleicht denken Sie an ein Picknick mit Ihrer Familie und an Ihre Kinder, wie sie am Strand herumtollen und im Wasser spielen. Im Geiste hören Sie sie lachen und plappern. Und schon erstrahlt Ihr Gesicht ganz automatisch und Sie spüren das Lächeln auf Ihrem Gesicht. Hierbei handelt es sich um direkte Erfahrungen, die beinahe alle von uns durchlebt haben.

Mehrere Forschungsstudien haben ein sonderbares Phänomen zum Vorschein gebracht. Wenn wir uns etwas gedanklich vorstellen, dann verhalten sich die Gehirnzellen in bestimmten Arealen anscheinend so, als fände die vorgestellte Szene tatsächlich statt. Man nimmt an, dass Visualisierungen in unserem Kopf die Funktion unseres zentralen Nervensystems beeinflussen und unseren Körper dazu antreiben, das zu tun, was wir uns vorstellen, um diese Vorstellung schließlich Wirklichkeit werden zu lassen.

Vorteile von Visualisierung

Im Folgenden sind einige großartige Vorteile von Visualisierungstechniken aufgeführt:

- Ihr Unter- und Unbewusstsein werden dazu angetrieben, eingehend nach innovativen Lösungen zu suchen, um Ihre Träume in Erfüllung gehen zu lassen.

- Ihr Gehirn wird dabei unterstützt, die nötigen Menschen und Mittel zur Erfüllung Ihrer Träume ausfindig zu machen und anzuziehen.

- Kontinuierliche Visualisierungsübungen bringen das Gesetz der Anziehung zur Wirkung, wodurch Mentoren, Vorbilder, die notwendigen Mittel u. Ä. in Ihr Leben treten, damit Sie Ihre Träume verwirklichen können.

- Ihr Niveau an Selbstvertrauen sowie Motivation wird erhöht.

Hierzu eine Vorlage zur Visualisierung, die Sie beliebig anhand Ihrer Träume benutzen können.

Visualisierungsübung:

Angenommen, Sie müssen Ihrer Schwägerin absagen, wenn sie Sie das nächste Mal darum bittet, auf ihre Kinder aufzupassen, während sie mit ihren Freundinnen feiern geht. Legen Sie sich zuerst die Worte zurecht, die Sie zu ihr sagen werden. Achten Sie darauf, dass Sie Ihre kleine Rede sorgfältig einstudieren. Begeben Sie sich anschließend in ein ruhiges Plätzchen und visualisieren Sie die folgenden Ereignisse:

- Stellen Sie sich vor, dass Sie Ihre kleine Rede, die Sie vorbereitet haben, Ihrer Schwägerin selbstsicher vortragen.
- Stellen Sie sich vor, dass Sie in einem bestimmten und selbstsicheren Ton sprechen.
- Stellen Sie sich vor, dass Sie für jedes Argument Ihrer Schwägerin ein Gegenargument anbringen.
- Stellen Sie sich vor, dass Sie voll Selbstvertrauens zu ihr sagen: »Nein, diesmal kann ich dir nicht helfen.«

Führung eines Tagebuchs zur Entwicklung von Selbstvertrauen

William Wordsworth hatte Folgendes zum Thema Tagebuch zu sagen: *»Fülle das Blatt Papier mit dem Atem deines Herzens.«* Bezüglich des Aufbaus von Selbstvertrauen bringt das Führen eines Tagebuchs mehrere Vorteile mit sich. Diese umfassen unter anderem folgende Punkte:

- Sie haben Klarheit über Ihre Ziele und Fortschritte, was wiederum das Selbstvertrauen fördert. Sie haben die Fortschritte im Hinblick auf die Erreichung Ihrer Tages-,

Wochen- und Monatsziele vor Augen und blicken Ihrem endgültigen Ziel mit Zuversicht entgegen. Sie können Ihre Ziele bei Bedarf auch jederzeit ändern.

- Das Führen eines Tagebuchs trägt dazu bei, sich von den Auswirkungen negativer Gefühle zu erholen.

- Durch das Aufzeichnen Ihrer täglichen Erfahrungen verbessert das Führen eines Tagebuchs Ihren Lernprozess.

- Das Führen eines Tagebuchs unterstützt eine dankbare Grundeinstellung.

Zudem können negative Gedanken durch das Führen eines Tagebuchs in positive umgewandelt werden. Zum Beispiel:

Negativer Gedanke: »Das ist unmöglich machbar.«

Um diesem negativen Gedanken entgegenzuwirken, sollten Sie ausführlich auf die folgenden Fragen antworten:

- Was sind Ihre bisher größten Leistungen?
- Fällt Ihnen eine ähnliche Lebenssituation ein, in der Sie dachten, dass etwas unmöglich zu schaffen sei, Sie es aber doch mit Erfolg geschafft haben?
- Was ist das Mutigste, das Sie bisher in Ihrem Leben getan haben?

Negativer Gedanke: »Dazu fehlen mir das Wissen und die Fähigkeiten.«

Beantworten Sie die folgenden Fragen ausführlich, um diesem negativen Gedanken entgegenzutreten:

- In welchen Themen sind Sie besonders bewandert? Mit welchen Gebieten kennen Sie sich so gut aus, dass andere Sie um Hilfe bitten? An welchen Ausbildungsprogrammen haben Sie teilgenommen?

- Was können Sie unternehmen, um Ihr gegenwärtiges Wissens- und Kompetenzniveau zu verbessern?

Negativer Gedanke: »Ich sehe so fett und hässlich aus. Ich hasse meinen Körper.«

Antworten Sie auf die folgenden Fragen, um sich von diesem negativen Gedanken nicht überwältigen zu lassen:

- Was gefällt Ihnen an Ihrem Körper am besten? Wofür wurden Ihnen von anderen Komplimente gemacht?

- Wofür sollten Sie dankbar sein, was Ihren Körper anbelangt? Für zwei starke Beine zum Tanzen, Springen und Laufen? Für zwei starke Arme, mit denen Sie Ihre tägliche Arbeit verrichten können, ohne auf andere angewiesen zu sein? Für ein wunderbares Lächeln, das Ihr Gesicht und die Gesichter Ihrer Kinder zum Strahlen bringt?

Negativer Gedanke: »Ich besitze nicht genug gute Eigenschaften.«

Ihre Antworten auf die folgenden Fragen werden Ihnen dabei helfen, diesem negativen Gedanken entgegenzuwirken und ihn aus Ihrem Kopf zu verbannen:

- Wofür sollten Sie dankbar sein?
- Wie lauten die zwei häufigsten Komplimente, die man Ihnen macht?
- Was denkt Ihre liebevolle Familie von Ihnen?
- Auf welche Dinge, die Sie sich ganz allein erarbeitet haben, sind Sie stolz?

Negativer Gedanke: »Das schaffe ich sowieso nicht, warum soll ich es dann überhaupt versuchen?«

Beantworten Sie im Gegenzug folgende Fragen:

- Was für großartige Dinge können sich ergeben, wenn Sie NICHT scheitern?
- Was ist das Schlimmste, was passieren kann? Wie können Sie mit sich und der Situation umgehen, falls der schlimmste Fall eintritt?

Verzicht auf Perfektion

Der Perfektionswahn ist vielmehr ein Fluch als ein Segen. Wenn Sie von Perfektion besessen sind, verlieren Sie nur Ihren Mut und Ihre Kraft. Wenn Sie hingegen nach Spitzenleistungen streben, fühlen Sie sich motiviert. Vergessen Sie nicht, dass niemand perfekt ist. Deshalb haben Bleistifte ja auch Radiergummis.

Vollen Einsatz bei jedem Unterfangen zu zeigen, zeugt von einer gesunden Einstellung. Die Besessenheit, jede noch so kleine Einzelheit perfekt hinzubekommen, ist jedoch gefährlich und ungesund. Perfektionisten quälen sich mich Selbstzweifeln, was sie wiederum daran hindert, ein gescheitertes Vorhaben erneut in Angriff zu nehmen. Die Gedanken von Menschen, die von Perfektion besessen sind, sehen etwa wie folgt aus:

- Ich hasse mich so, wie ich bin. Ich wünschte, ich könnte es besser machen.
- Ich bin mit dem Ergebnis nicht zufrieden, auch wenn mein Team und ich lange und unermüdlich daran gearbeitet haben.
- Es gibt nur Schwarz oder Weiß. Entweder man macht es richtig oder man macht es falsch.

- Erst, wenn ich perfekt bin, werde ich glücklich und zufrieden sein.
- Ich erreiche nie genug.
- Meine Anstrengungen sind wertlos, wenn das Ergebnis nicht vollkommen perfekt ist.

Von Perfektion besessene Menschen sind mit vielen überflüssigen Herausforderungen konfrontiert und vergeuden sowohl ihre Zeit als auch ihre Energie. Perfektionisten sind immer einsam und unglücklich.

Sie sind ständig erschöpft und besorgt – In ihrem Streben nach Perfektion wenden Sie viel Kraft für Kleinigkeiten auf, die es nicht wert sind. Daher fühlen sich Perfektionisten ständig müde und besorgt.

Sie führen unglückliche Beziehungen – Sie wünschen nur das Beste für sich, doch den besten Partner gibt es auf dieser Welt nicht. Daher sind alle Beziehungen von Perfektionisten unglücklich und unerfüllt. Ob es sich nun um den Ehegatten, die Eltern, Kinder oder Freunde handelt – Perfektionisten scheinen ihre Erfüllung nie zu finden.

Im Folgenden einige Tipps zur Überwindung des Perfektionswahns:

Machen Sie sich bewusst, dass Perfektionismus nicht absolut ist – Was Ihnen perfekt erscheint, kann für andere »gerade gut genug« sein, und was Ihnen »gerade gut genug« erscheint, kann für andere perfekt sein. Die absolute Perfektion existiert nicht. Die Akzeptanz dieser Tatsache wird Sie davor bewahren, Illusionen nachzujagen.

Gut genug ist auch gut - »Gut genug« heißt nicht, dass Sie sich nicht genug Mühe geben. Es bedeutet lediglich, dass Sie loslassen und nach vorne blicken sollen, nachdem Sie Ihr Bestes gegeben haben.

Erkennen Sie die Unvollkommenheit des Menschen an - Der Mensch ist von Natur aus unvollkommen. Unsere Makel machen uns zu etwas Einzigartigem. Ihre »Fehler« werden durch die »Fehler« Ihres Partners ergänzt bzw. abgemildert, was Ihre Beziehung tragfähig macht.

Wenn Sie beispielsweise großen Wert auf Disziplin legen, während Ihr Ehemann die Dinge eher gelassen sieht, so ermöglicht dies Ihren Kindern eine normale und ausgeglichene Kindheit durch Ihre Disziplin einerseits (wenn es die Situation erfordert) und seiner gelassenen Natur andererseits (wenn es eine andere Art von Situation erfordert). Wenn Sie beide übermäßigen Wert auf Disziplin legen würden, gliche das Leben Ihrer Kinder wohl der Hölle. Und wenn Sie beide eine leichtlebige Natur hätten, würden Ihre Kinder niemals den Wert von Disziplin kennenlernen.

Vor allem aber würden Sie niemals Ablehnung von Menschen, die Sie lieben und die sich um Sie kümmern, erfahren, nur weil Sie nicht perfekt sind. Deshalb sollten Sie auf Perfektionismus verzichten. Konzentrieren Sie sich stattdessen darauf, Ihre Kraft auf die Entwicklung Ihrer Fähigkeiten und Ihres Selbstvertrauens zu verwenden.

Kapitelzusammenfassung

In diesem Kapitel wurden vier verschiedene Arten der Entwicklung von Selbstvertrauen diskutiert. Diese umfassen Affirmationen, Visualisierungstechniken, den Verzicht auf Perfektionismus und die Führung eines Tagebuches.

Kapitel 7:

Tipps und Tricks zur Entwicklung von Selbstvertrauen – Teil II

Fordern Sie sich ständig heraus

Sich herausfordern, unvertrauten Beschäftigungen nachgehen, neue Aufgaben übernehmen, absichtlich schwierige Projekte in Angriff nehmen, schwierige Entscheidungen treffen, sich körperlich und geistig aus der Komfortzone wagen - diese und andere Aktivitäten stellen ausgezeichnete Wege dar, Neues zu lernen und Selbstvertrauen aufzubauen. Anderen zu helfen stärkt ebenfalls das Selbstvertrauen. Dabei müssen Sie natürlich darauf achten, dass Sie selbst das nötige Rüstzeug besitzen, bevor Sie anderen helfen.

Wann immer Sie anfangen, sich irgendwo wohlzufühlen, verlieren Sie die Fähigkeit, sich dort Neues anzueignen. Fordern Sie sich ständig heraus, um zu lernen und sich weiterzuentwickeln. Ob zu Hause oder am Arbeitsplatz - wenn Sie sich von der Arbeit, die Sie machen, nicht herausgefordert fühlen, stagniert Ihr Selbstvertrauen. Und Stagnation ist der Anfang des Verderbens.

Martin Luther King sagte: *»Das höchste Maß, an dem man einen Menschen messen kann, legt man am besten an, wenn er Zeiten der Herausforderung und Kontroverse durchlebt.«* Fordern Sie sich also bewusst heraus und vermeiden Sie, sich zu lange in der Komfortzone aufzuhalten. Ihr Grad an Wohlbefinden verhält sich direkt proportional zur Verweildauer in der Komfortzone. Erweitern Sie Ihre Fertigkeiten auf mehreren Gebieten, denn die Beherrschung neuer Fertigkeiten kann Ihr Selbstvertrauen beträchtlich weiterentwickeln.

Erhöhen Sie fortlaufend Ihre Standards, um sich zu verbessern. Im Folgenden werden einige Tipps dazu angeführt, wie Sie sich ständig herausfordern können:

Widmen Sie sich Beschäftigungen, die Sie hassen – Wenn Sie nur ungern kochen, dann achten Sie darauf, dass Sie mindestens dreimal pro Woche kochen. Machen Sie sich keine allzu großen Sorgen darüber, ob das Gericht gelingt. Die Herausforderung besteht darin, etwas, das Sie hassen, über einen längeren Zeitraum zu tun. Wenn Sie sich mit einer bestimmten Arbeitskollegin weniger gut verstehen, dann treten Sie an sie heran und beginnen Sie ein Gespräch mit ihr.

Wenn Ihnen das Tanzen nicht liegt, dann nehmen Sie Tanzunterricht, um sich das Tanzen beizubringen. Indem Sie etwas tun, was Sie nicht mögen, setzen Sie sich außerhalb Ihrer Komfortzone laufend Herausforderungen aus. Ihr Körper und Geist werden sich Ihren Bemühungen widersetzen, und Sie werden Ihre ganze Willenskraft einsetzen müssen, um dagegen anzukämpfen. Eine hervorragende Art, das Selbstvertrauen zu fördern.

Setzen Sie sich eine Woche Ihren größten Ängsten aus – Wenn Sie es beispielsweise hassen, die öffentlichen Verkehrsmittel zu benutzen, dann tun Sie genau das eine Woche lang. Wenn Sie es hassen, Reden zu halten, dann sorgen Sie dafür, dass Sie im Büro jede Gelegenheit zu einem Vortrag nutzen. Wenn Sie Ihre Schwiegermutter nicht ausstehen können, dann laden Sie sie ein, eine Woche bei Ihnen zu verbringen.

Von dieser Übung sollten Sie in zweierlei Hinsicht profitieren: Zum einen fordern Sie sich eine Woche lang selbst heraus, zum anderen wird Ihnen höchstwahrscheinlich klar, wie unbegründet Ihre Sorgen und Abneigungen sind. Diese beiden Lektionen sind bei der Förderung des Selbstvertrauens nützlich.

Halten Sie sich eine Woche von dem fern, was Sie am meisten lieben - Wenn Sie nicht ohne Ihre tägliche Dosis Netflix oder einen anderen Streamingdienst auskommen, dann deinstallieren Sie die betreffenden Apps für eine Woche. Wenn Sie sich gerne in den sozialen Medien herumtreiben, dann bleiben Sie eine Woche lang offline. Auch hiervon profitieren Sie in zweierlei Hinsicht. Zum einen werden Sie natürlich herausgefordert, zum anderen wird Ihnen Gelegenheit gegeben, sich von schlechten Angewohnheiten, die an Ihrer Produktivität zehren, zu befreien.

Machen Sie's anders - Putzen Sie sich die Zähne oder essen Sie mit der anderen Hand. Wenn Sie ein sehr redseliger Mensch sind, dann lassen Sie das Quatschen einmal ganz bewusst sein. Wenn Sie aber sehr zurückhaltend sind, dann bemühen Sie sich, mehr zu reden.

Die Absicht hinter diesen Tipps besteht darin, Sie aus der Komfortzone zu locken, damit Sie sich selbst herausfordern. Wenn Sie sich unwohl fühlen, befinden sich Körper und Geist in einem Zustand erhöhter Wachsamkeit, die den perfekten Rahmen für die Förderung von Wissen und Selbstvertrauen bildet.

Lieben Sie sich selbst

Wenn Sie sich selbst nicht lieben, kann Sie auch kein anderer lieben. Ihre Beziehung zu sich selbst ist der erste Schritt zum Aufbau von Beziehungen mit anderen Menschen. Kim McMillen, die berühmte Autorin von *When I Loved Myself Enough*, sagte: *»Als ich mich selbst zu lieben begann, ließ ich alles Unzuträgliche hinter mir. Menschen, Jobs, meine eigenen Überzeugungen und Angewohnheiten - alles, was mich am Wachsen hinderte. Damals nannte ich es illoyal. Heute betrachte ich es als Selbstliebe.«*

Selbstliebe bedeutet weder Selbstsucht noch Hass auf andere noch narzisstisches Verhalten. Ganz im Gegenteil, denn durch Selbstliebe lernen Sie, anderen Mitgefühl zuteilwerden zu lassen. Selbstliebe bedeutet nicht weniger als dass Sie mit all Ihren Stärken und Schwächen zufrieden sind. Wenn Sie sich selbst lieben, sind Sie weder auf äußere Faktoren noch auf Menschen angewiesen, die Ihnen das Gefühl geben, vollkommen und geliebt zu sein. Im Folgenden sind einige Vorteile von Selbstliebe aufgelistet:

- Wenn wir uns selbst lieben, sind wir mit uns zufrieden, und unser Wunsch, mehr wie jemand anderer zu sein, löst sich in Luft auf. Dies befreit uns wiederum von Gier, Missgunst und Wut.

- Wir befreien uns von der Angst davor, wie uns andere wahrnehmen. Wir können unsere Fassade ablegen. Unser Leben, unsere Verhaltensweisen und Taten sind authentisch und stehen im Einklang mit unserem wahren und inneren Selbst.

- Wir fühlen uns nicht einsam, wenn wir allein sind, weil wir gerne in unserer eigenen Gesellschaft sind.

- Wir müssen uns nicht auf andere verlassen, um mit unseren Schwächen fertig zu werden, denn wir wissen, dass wir stets selbst für uns sorgen können.

- Wir tragen die Verantwortung für unser Glück und arbeiten aktiv auf unsere Ziele hin, ohne uns auf die Hilfe anderer zu verlassen.

Einige nützliche Tipps zur Selbstliebe:

Seien Sie für das Gute in Ihrem Leben dankbar – Wenn Sie für das Gute in Ihrem Leben Dankbarkeit zeigen, so schätzen Sie sich auch glücklich darüber. Dieses Glücksgefühl führt dazu, dass Sie sowohl Ihr Leben als auch sich selbst lieben und all den Groll darüber, was Sie nicht haben, hinter sich lassen. Dankbarkeit ist der erste Schritt in Richtung Selbstliebe.

Umgeben Sie sich mit Menschen, die Sie lieben – Zugegeben, andere Menschen mögen zuerst irrelevant scheinen, wenn es um Selbstliebe geht. Dennoch tragen Menschen, die Sie lieben und sich um Sie kümmern, zur Steigerung der Selbstliebe bei. Suchen Sie die Gesellschaft solcher Menschen.

Gestalten Sie Ihr Leben übersichtlich – Befreien Sie sich von allem emotionalen, psychischen und materiellen Durcheinander in Ihrem Leben. Pflegen Sie einen minimalistischen, sauberen und übersichtlichen Lebensstil, frei von jeglicher Negativität. Diese Art des übersichtlichen Lebens verleiht Ihnen ein Gefühl der Freiheit und Leichtigkeit, das Ihnen eine freudvolle und glückliche Sichtweise auf sich selbst eröffnet und damit die Selbstliebe steigert.

Halten Sie sich von Menschen mit negativer Einstellung fern – Meiden Sie Menschen, die Sie entmutigen, schwächen und Ihnen das Gefühl geben, unwürdig zu sein. Die Einstellung solcher Menschen führt dazu, dass Sie sich als einen Taugenichts betrachten, der keine Liebe verdient. Dies ist für die Steigerung der Selbstliebe nicht zielführend. Daher sollten Sie sich von negativ eingestellten Menschen fernhalten.

Pflegen Sie eine positive Einstellung

Die Britin Frances Hodgson Burnett ist die Autorin von drei der berühmtesten und beliebtesten Kinderbücher (*Der kleine Lord, Der geheime Garten, Sara, die kleine Prinzessin*) überhaupt. Sie sagte einst: *»Wenn man genau hinschaut, kann man sehen, dass die ganze Welt ein Garten ist.«*

Eine positive Einstellung zieht auch Positives an. Und je mehr Positives es in Ihrem Leben gibt, desto mehr wird sich Ihr

Selbstvertrauen steigern. Im Folgenden werden einige erstaunliche Vorteile aufgeführt, die eine positive Einstellung mit sich bringt:

Hohes Motivationsniveau – Eine positive Einstellung hält Ihre Stimmungslage auf einem hohen Niveau, wodurch Sie die Motivation finden, hart zu arbeiten und Ihr Bestes zu geben.

Herausforderungen werden als Möglichkeiten betrachtet – Jedes Hindernis und jede Herausforderung wird als Lern- und Entwicklungschance gesehen. Durch eine positive Einstellung finden Sie selbst in den düstersten Augenblicken noch Chancen zur Weiterentwicklung, da sie Sie mit Hoffnung und Motivation erfüllt.

Stressreduktion – Negativität und negative Gedanken führen dazu, dass Sie Ihre Kräfte für unproduktive Arbeit wie Stress- und Angstbewältigung einsetzen. Eine positive Einstellung ermöglicht es Ihnen, sich auf das Gute zu konzentrieren und Angstgefühle in Schach zu halten. So kann Ihre Energie zu Gunsten höherer Leistung und Produktivität eingesetzt werden, was wiederum erneut zur Stressreduktion beiträgt.

Einige nützliche Tipps zur Entwicklung einer positiven Einstellung:

Leben Sie bewusst – Eine bewusste Lebensführung verlangt von Ihnen, ganz in den Augenblick einzutauchen. Wenn Ihr ganzes Sein in der Erfahrung des gegenwärtigen Augenblicks aufgeht, werden Körper und Geist von der Last vergangener oder künftiger Sorgen befreit. Eine von Achtsamkeit geprägte Lebensweise hält Sie also »im Moment« fest und unterstützt Sie dabei, ein erfülltes Leben mit einer positiven Einstellung zu führen.

Beschreiben Sie sich und Ihr Leben mit positiv besetzten Worten – Worte üben starken Einfluss auf unseren Geist aus. Wenn Sie sich etwa als durchschnittlich, langweilig und uninteressant beschreiben, dann spiegeln sich diese Attribute in Ihrer Persönlichkeit wider. Wenn Sie sich im Gegensatz dazu als eine lebensfrohe, glückliche und fröhliche Frau beschreiben, schlägt sich die Auswirkung dieser Worte in Ihrer Persönlichkeit nieder, sodass Sie diese Fröhlichkeit tatsächlich spüren.

Beschreiben Sie auch Ihre Arbeit auf dieselbe Art und Weise. Setzen Sie sich, wenn nötig, eine Weile hin und notieren Sie sich eine passende Auswahl an Wörtern, die Sie zur Beschreibung Ihrer selbst, Ihres Berufes oder Ihres Lebens verwenden.

Machen Sie sich Ihre Worte und Taten bewusst und achten Sie darauf, dass diese positiv besetzt sind. Denken Sie nach, bevor Sie sprechen oder handeln, und nehmen Sie sich die Zeit, sich für das Positive zu entscheiden. Umgeben Sie sich mit selbstsicheren Menschen, um von ihnen zu lernen und sich ihre positiven Eigenschaften anzueignen.

Kapitelzusammenfassung

In diesem Kapitel haben Sie erfahren, dass Sie Ihr Selbstvertrauen durch fortwährendes Sich-Herausfordern, Selbstliebe und eine positive Einstellung zusätzlich aufbauen können.

Fazit

Zu den wichtigsten Kernpunkten im Hinblick auf die Entwicklung von Selbstvertrauen gehören:

- Ihr Entschluss, von heute an jeden Tag selbstsicher zu sein.
- Die Entwicklung Ihrer Grundwerte, die Sie tief in Ihrer Psyche verankern.
- Die Entwicklung Ihrer auf Tage, Wochen und Monate aufgegliederten Lebensziele anhand Ihrer Grundwerte.
- Die Entwicklung von Selbstbewusstsein, um Ihre Stärken und Schwächen zu kennen.
- Die Entwicklung von Selbstvertrauen durch Selbstliebe, positive Einstellung, Nutzung der Macht von Affirmationen sowie Visualisierungstechniken und vieles mehr.
- Eine Lebensführung nach Ihren Vorstellungen und unter Einhaltung Ihrer Grenzen, damit Sie von der Wahrnehmung anderer nicht negativ beeinflusst werden.

Durch ein gesteigertes Selbstvertrauen hält ein hohes Selbstwertgefühl und ein starkes Durchsetzungsvermögen in Ihrem Leben Einzug, was dazu beiträgt, dass Sie ein erfüllteres und sinnvolleres Leben führen können.

Teil 2:

Selbstbewusste Kommunikation

Geheime Tricks, um zu lernen, wie man Nein sagt, ohne sich schuldig zu fühlen und um mehr Respekt zu erhalten

Kapitel 1:

Einführung – Arten der Kommunikation

Die beste Art, um mit dem Lernen von selbstbewusstem Verhalten anzufangen, ist es, zunächst Wissen darüber aufzubauen, was Kommunikation ist und welche verschiedenen Arten es davon gibt. Was ist nun Kommunikation? Es ist der Austausch oder die Weitergabe von Gedanken, Ideen und Informationen zwischen zwei oder mehr Personen.

Kommunikation erleichtert eine sinnvolle, tiefer gehende Interaktion zwischen Menschen. Es ist der Prozess, durch den Menschen miteinander in Austausch treten und am Ende die Gedanken, Ideen, Meinungen und Emotionen des anderen verstehen. Stellen Sie sich vor, wie die Welt aussähe, wenn wir nicht miteinander kommunizieren könnten! Es lassen sich hauptsächlich vier Arten der Kommunikation unterscheiden:

1. Passive Kommunikation
2. Aggressive Kommunikation
3. Passive-aggressive Kommunikation
4. Selbstbewusste/Bestimmte Kommunikation

Folglich ist Selbstbewusstsein ein Persönlichkeitsmerkmal, das auch mit Kommunikation verbunden ist. Der selbstbewusste Kommunikationsstil ist gekennzeichnet durch die Fähigkeit einer Frau, ihre Gedanken, Meinungen, Überzeugungen und Emotionen klar auszudrücken, ohne die Freiheit anderer Menschen zu beeinträchtigen, die ebenfalls Ihre Gedanken, Meinungen, Überzeugungen und Emotionen ausdrücken wollen.

Edith Eva Eger, die berühmte ungarisch-amerikanische Schriftstellerin und Holocaust-Überlebende, sagte: *„Passiv sein heißt, andere für dich entscheiden zu lassen. Aggressiv zu sein bedeutet, für andere zu entscheiden. Selbstbewusst zu sein bedeutet, für sich selbst zu entscheiden. Und darauf zu vertrauen, dass Sie als Person einfach genug sind."*

Bestimmte Kommunikation ist der am meisten bevorzugte Typ, da es den demokratischsten Kommunikationsstil darstellt. Als selbstbewusste Frau können sie sagen, was sie sagen möchten, und sich für Ihre Rechte einsetzen, ohne die Gefühle der Menschen zu verletzen oder die Rechte anderer Beteiligter zu ignorieren. Eine kurze Einführung in jede der vier wichtigsten Kommunikationsstile verhilft Ihnen zu einem besseren Verständnis von Dursetzungsfähigkeit bzw. Selbstbewusstsein.

Passive Kommunikation

Eine Frau mit einem passiven Kommunikationsstil ist eine Frau, die sich nicht für ihre Rechte und Überzeugungen einsetzt. Sie wird sich auch nicht für die Rechte und Überzeugungen anderer Menschen einsetzen. Eine passiv kommunizierende Frau hat Angst oder nicht die Willenskraft und mentale Stärke, um ihre Gedanken, Meinungen und Gefühle klar und selbstbewusst auszusprechen.

Als eine passiv kommunizierende Person entscheiden sie sich – selbst wenn sie durch das unhöfliche Verhalten oder die Wortwahl anderer verletzt werden – eher zu schweigen, anstatt Ihre Bedenken zu äußern. Es ist nicht so, dass diese Person ihre Stimme nicht gegen Ungerechtigkeit erheben möchte. Sie findet einfach nicht die Kraft, dies zu tun.

Eine passiv kommunizierende Person ist gekennzeichnet durch:

Schüchternheit – Passiv kommunizierende Personen sind fast ausnahmslos schüchtern und haben Schwierigkeiten, selbstbewusst und bestimmt zu sprechen. Wenn ihr Chef sie beispielsweise mit übermäßiger Arbeit belastet, dann wird diese Person es einfach akzeptieren, anstatt ihm mitzuteilen, dass sie nicht so viel Arbeit übernehmen kann, weil sie schüchtern ist und keine Aufmerksamkeit auf sich ziehen möchte.

Überempfindlichkeit - Passiv kommunizierende Personen sind typischerweise äußerst sensibel gegenüber Kritik und nehmen alle Rückmeldungen sehr persönlich. Wenn ein Mann zum Beispiel sagt, dass das Essen, das die Frau heute gekocht hat, nicht schmeckt, fühlt sie sich verletzt und fängt vielleicht sogar an zu weinen.

Unsicherheit - Fragen Sie sich, ob Sie äußerst beunruhigt sind, wenn Sie vor anderen Menschen stehen. Wenn die Antwort ja ist, dann ist es ein unverkennbares Zeichen dafür, eine passiv kommunizierende Person zu sein. Solche Menschen sind so besorgt darüber, wie sie von anderen Menschen wahrgenommen werden, dass sie nichts tun, was sie unbeliebt machen könnte.

Das Negative aus solchen Beispielen häuft sich im eigenen Inneren in Form von Angst, Stress und Minderwertigkeitsgefühlen an. Irgendwann können diese angehäuften negativen Erfahrungen eine innere Schwelle überschreiten und unangenehme sowie gefährliche Wege der Freisetzung finden. Eleanor Roosevelt sagte: *„Niemand sollte Sie ohne Ihre Einwilligung dazu bringen, sich minderwertig zu fühlen."* Es liegt daher an jedem selbst, sich die notwendigen Fähigkeiten anzueignen, um für die eigenen Rechte einzutreten und nicht länger passiv zu kommunizieren.

Im Folgenden finden Sie einige klassische Antworten und Gedanken einer passiv kommunizierenden Person:

- Ich bin nicht sehr klug und folglich kann ich nicht mehr als eine Hausfrau sein.
- Ich bin nicht liebenswert, und aus diesem Grund wird mir niemand zuhören.

- Ich kann nicht davon träumen, mit diesem gutaussehenden Kollegen auszugehen, weil ich so hässlich bin.
- Meine Kinder und meine Familie werden niemals viel von mir halten.
- Ich bin es nicht wert, eine Abteilungsleiterin zu werden. Ich muss einfach mit meinem gegenwärtigen niedrigen Jobstatus zufrieden sein.

Herausforderungen einer passiv kommunizierenden Person:

- Diese Person wird niemals in der Lage sein, zu wachsen und sich weiter zu entwickeln, um ihr volles Potenzial ausschöpfen zu können.
- Diese Person wird bei Beförderungen nicht bemerkt, selbst wenn sie für den Job perfekt qualifiziert wäre.
- Mitmenschen haben unrealistische Erwartungen an diese Person, und wenn sie diese Erwartungen nicht erfüllt, wird das eigene Selbstvertrauen weiter sinken, was wiederum zu einem geringen Selbstwertgefühl führen kann.
- Diese Person hat das Gefühl, das eigene Leben nicht unter eigener Kontrolle zu haben.
- Die eigene Fähigkeit zu reifen und sich zu einer starken Persönlichkeit zu entwickeln, wird erheblich eingeschränkt, da die eigenen Problembereiche selten angesprochen werden.
- Diese Person neigt zu Depressionen und Angstzuständen, da sich in ihrem Inneren unnötige negative Erfahrungen sammeln.

Aggressive Kommunikation

Während sich passiv kommunizierende Personen an einem Ende des Kommunikationsspektrums befinden und passiv dem verletzenden und beleidigenden Verhalten anderer Menschen nachgeben, befinden sich aggressiv kommunizierende Personen dagegen am anderen Ende der Bandbreite. Sie sagen, was sie sagen wollen, ohne Rücksicht auf die Rechte anderer. Aggressiv kommunizierende Personen sind meistens körperlich und / oder verbal ausfallend.

Anne Campbell, die weltberühmte britische Autorin und auf Evolutionspsychologie spezialisierte Wissenschaftlerin, sagt: *„Aggression ist der erste Schritt auf dem holprigen Weg hin zu Selbstgefälligkeit und Durcheinander.“* Menschen mit einem aggressiven Kommunikationsstil zeichnen sich wie folgt aus:

Übertriebener Fokus auf sich selbst – Aggressiv kommunizierende Personen konzentrieren sich fast immer nur auf sich selbst und berücksichtigen die Ansichten oder Meinungen anderer kaum oder gar nicht. Der Grund, warum solche Menschen die Gedanken und Meinungen anderer Menschen ignorieren oder missachten, liegt darin, dass sie sich einzig darauf konzentrieren, ihre persönliche Agenda zu verfolgen.

Eine Frau mit aggressivem Verhalten möchte nur, dass ihre Botschaften und Meinungen gehört werden, und alles andere wird mit Nachdruck in den Hintergrund gedrängt. Egoismus ist eine der ersten Eigenschaften, die sich bei einer Frau zeigen, die sich aggressiv verhält oder kommuniziert.

Vollständiges Fehlen der Fähigkeit Zuzuhören – Die Fähigkeiten des Zuhörens sind bei aggressiv kommunizierenden Personen bemitleidenswert niedrig ausgeprägt. Solche Menschen besitzen nicht die aktive Fähigkeit des Zuhörens und sind zudem auch nicht in der Lage, den verbalen Teil der Kommunikation durch Zuhören zu verstehen und aufzunehmen.

Aggressiv kommunizierende Personen konzentrieren sich nur auf die Darstellung ihrer eigenen Perspektiven und Standpunkte. Ironischerweise streiten sie sich manchmal sogar mit denen, die ihnen eigentlich tatsächlich zustimmen! So zeigt sich, wie schlecht ihre Fähigkeiten des Zuhörens ausgeprägt sind.

In den meisten Fällen werden bei Diskussionen mit einer aggressiv kommunizierenden Person andere Meinungen ohne vernünftigen Grund generell abgelehnt, auch wenn es jemand anderem gelingt, den eigenen Standpunkt schlüssig zu erläutern.

Mangelndes Einfühlungsvermögen – Aggressiv kommunizierende Personen verfügen über miserable Fähigkeiten des Zuhörens und konzentrieren sich nur auf ihre persönlichen Ziele. Beide Eigenschaften spiegeln eine Persönlichkeit wider, der es in jeder Hinsicht an Einfühlungsvermögen mangelt. Die Gefühle, Gedanken und Ängste aller anderen sind angesichts des eigenen Egoismus unbedeutend.

Diese charakteristischen Merkmale aggressiver Menschen lassen sie rabiat, dominierend, gemein, unfreundlich und gefühllos erscheinen.

Hier sind einige klassische Antworten und Gedanken einer aggressiv kommunizierenden Person:

- Sie liegen falsch und ich habe Recht.
- Ich bin besser als Sie.
- Ich habe keine Geduld für Sie und Ihre Meinungen.
- Ich muss mich immer durchsetzen, um jeden Preis.
- Ich darf Ihre Rechte verletzen, weil ich Ihnen überlegen bin.
- All die schlechten Dinge sind passiert, weil Sie etwas falsch gemacht haben, und all die richtigen Dinge sind passiert, weil ich das Richtige getan habe.

Herausforderungen einer aggressiv kommunizierenden Person:

- Diese Person entfremdet sich von Freunden, Kollegen und nach einiger Zeit sogar von Familienmitgliedern und Partnern. Zudem wird sie sich allein in dieser weiten

Welt wiederfinden und niemanden in ihrem sozialen, persönlichen und beruflichen Umfeld haben, dem sie ihre Aggression vorführen kann.

- Auch wenn diese Person über ausgezeichnete Redekunst verfügt, kann Sie keine Debatten gewinnen, da sie einfach nicht eingeladen wird.

- Wenn eine solche Person eine leitende Position innehat, wird sie gehasst oder gefürchtet. Wenn sie keine leitende Position innehat, wird sie vollständig ignoriert. In beiden Fällen wird sie keine Liebe oder Popularität finden.

- Diese Person wird sich niemals entfalten und sich zu einer reifen Frau entwickeln, weil echte Probleme in ihrem Leben ungelöst bleiben werden.

Passiv-Aggressive Kommunikation

Wie der Name schon nahelegt, kombiniert dieser Kommunikationsstil passive und aggressive Elemente. Frauen, die passiv-aggressiv sind, verstecken ihr aggressives Verhalten hinter einer Fassade der Passivität. Haben Sie jemals daran gedacht, Ihren Chef zu ermorden, weil Sie ein Projekt machen müssen, welches Sie nie machen wollten, aber äußerlich lächeln Sie ihn an und sagen „Okay, ich werde mein Bestes geben"? Dieses Verhalten ist ein klassisches Beispiel für passive Aggression.

Sie können häufig auch passive Aggression bei ihren Kindern beobachten, insbesondere bei deren Interaktionen und Verhaltensweisen mit Senioren, Älteren und anderen Autoritätspersonen. Ein Beispiel: Sie sagen Ihrer Tochter im Teenageralter, sie soll ihr Zimmer aufräumen, bevor sie mit ihren Freunden auf eine Party geht. Sie kommen nach ein paar Minuten wieder und sehen den Raum wahrscheinlich aufgeräumter als jemals zuvor. Sie werden jedoch alles, was in dem Raum herumlag, jetzt unter dem Bett wiederfinden!

Sie hat vielleicht passiv auf ihren Befehl gehört, aber sie hat eine Methode gefunden, bei der auch ihre Aggression ihren Weg gefunden hat. Wenn Sie versuchen, mit ihr zu streiten, lautet die typische Antwort: „Du findest immer einen Fehler bei mir, egal was ich tue!" Personen mit einem passiv-aggressiven Kommunikationsstil weisen in der Regel die folgenden Merkmale auf:

Sie verwenden sehr oft die Methode des Schweigens – Schmollen ist eine der häufigsten Formen von passiv-aggressivem Verhalten, das bei vielen Frauen beobachtet werden kann. Kinder sitzen eher miesepetrig da und weigern sich, mit allen anderen zu Hause zu Abend zu essen, um ihrem Unmut Ausdruck zu verleihen.

Sie wenden subtile Beleidigungen an – Eine Kollegin scheint Ihnen ein Kompliment zu machen. Wenn Sie jedoch eine Weile darüber nachdenken, werden Sie feststellen, dass es sich dabei um eine verschleierte Beleidigung handelt.

Sie sind durchaus rachsüchtig – Ihre gut verborgene Aggression lässt sie trotzdem in ihrem Inneren nie vollständig los. Daher werden solche Menschen nicht leicht vergeben und vergessen. Sie verwenden subversive Mittel, um sich zu rächen.

Alle diese Eigenschaften sind für andere Menschen wahrnehmbar, weshalb passiv-aggressiv kommunizierende Personen leicht Freunde verlieren.

Hier sind einige klassische Antworten und Gedanken einer passiv-aggressiv kommunizierenden Person:

- Ich bin nicht wütend (obwohl ich innerlich sehr wütend bin).
- Was auch immer! Fein!
- Warte, ich komme! (Und sich mehr Zeit nehmen als nötig)
- Sie finden immer die Fehler.

Herausforderungen von passiv-aggressivem Verhalten

- Solche Menschen häufen am Ende viel Negatives in ihrem Inneren an und werden oft Opfer von Depressionen und Angstzuständen.
- Obwohl sie möglicherweise einen Teil ihrer negativen Gefühle durch subversive Mittel auflösen, bleiben die Grundprobleme ungelöst.
- Sobald ihre wahre Natur offenbart wird, entfremden andere sich schnell von solchen Menschen.

Selbstsichere, bestimmte Kommunikation

Diese Form der Kommunikation wird von den meisten Menschen am erstrebenswertesten gesehen. Eine selbstbewusste Frau sagt, was sie sagen möchte, und bietet anderen ausreichend Raum, um deren eigenen Standpunkte, Gedanken, Überzeugungen und Meinungen zu äußern. Selbstsichere Frauen zeichnen sich aus durch:

Respektvolles Verhalten – Selbstsichere Menschen schätzen und respektieren den Standpunkt aller.

Selbstvertrauen und Selbstwertgefühl – Selbstsichere Menschen erkennen und anerkennen die eigenen Stärken und Schwächen, und verfügen daher über ein gesundes Maß an Selbstvertrauen und Selbstwertgefühl.

Ehrliche Interaktion – Selbstbewusste Menschen bemühen sich aufrichtig, an all ihren Interaktionen mit anderen Menschen teilzunehmen.

Hervorragend emotionales Bewusstsein – Selbstbewusste Menschen wissen, wie sie mit ihren Emotionen umgehen, und zeigen auch bei hitzigen Auseinandersetzungen und Diskussionen eine hervorragende Selbstkontrolle.

Hervorragende Kommunikationsfähigkeiten – Selbstsichere Menschen verstehen die Bedeutung von Kommunikationsfähigkeiten für die korrekte Darstellung ihrer Ansichten und Gedanken. Deshalb arbeiten sie hart daran, ihre Kommunikationsfähigkeiten weiter auszubauen.

Hier sind einige klassische Antworten und Gedanken einer selbstsicher kommunizierenden Person:

- Ich habe recht, und Sie auch. Lassen sie uns einen gemeinsamen Konsens finden.
- Jeder hat ein Recht auf seine Meinungen und Gedanken.
- Ich spreche deutlich und ehrlich.
- Ich schätze meine persönlichen Rechte und werde dafür sorgen, dass ich Ihre individuellen Rechte nicht verletze.

Vorteile von Selbstbewusstsein – Selbstsicheres Auftreten hat keine Nachteile, nur Vorteile. Schauen wir uns einige davon an:

- Diese Person verdient den Respekt aller, sowohl im persönlichen als auch beruflichen Umfeld.

- Wenn Sie Kernthemen Ihrer Persönlichkeit und Ihres Lebens ansprechen, werden Sie als Individuum reifen und sich entwickeln, indem Sie aus Ihren Fehlern lernen und Lob mit Demut annehmen.

- Sie sind bei Ihren Freunden und Kollegen populär und sehr beliebt.

- Selbstsicherheit gibt Ihnen eine hervorragende Chance auf Führungsgelegenheiten, da die meisten Menschen Spaß daran haben, mit Ihnen zu interagieren und für Sie zu arbeiten.

In der Regel gelten Männer als selbstsicherer als Frauen. In der heutigen Zeit ändern sich dieser Trend und diese Perspektive jedoch rapide. Viele Frauen haben Barrieren durchbrochen und es geschafft, sich zu großen Führungspersönlichkeiten zu etablieren. Sie hinterlassen mit ihrem Namen tiefe bleibende Spuren in der Geschichte der Menschheit. Fast alle großen weiblichen Führungskräfte weisen Selbstbewusstsein als eines ihrer wichtigsten und wertvollsten Merkmale auf. In einem hart umkämpften Umfeld ist der Aufbau von Selbstsicherheit eine entscheidende Fähigkeit.

Kapitel 2:

Warum verhalten wir uns so und nicht anders?

Warum sind manche Menschen aggressiv, manche passiv-aggressiv und manche selbstbewusst? Warum verhalten sich Menschen so wie sie es tun und nicht anders? In diesem Kapitel sollen einige logische Antworten auf diese recht komplexe Frage gegeben werden.

Als unsere Vorfahren noch Jäger und Sammler waren, war das Konzept der Zivilisation noch gänzlich unbekannt. Unsere Vorfahren haben sich wie Tiere verhalten; Wut wurde offen gezeigt, wenn sie wütend waren, es wurde laut gelacht, wenn sie etwas glücklich machte, es wurde geweint, wenn sie etwas traurig machte, und so weiter. Unsere Vorfahren lebten buchstäblich von der Hand in den Mund, aßen gut, wenn sie gut gejagt hatten und hungerten, wenn sie kein Essen fanden. Sie hatten keine Zeit oder Energie für irgendetwas anderes als das Überleben.

Allmählich wurden die Menschen sesshaft, nahmen die Rolle von Landwirten an und gründeten Gesellschaften und Zivilisationen. Wir hatten genügend Nahrung und sichere Lebensräume, und unsere Sorge ums Überleben trat immer mehr in den Hintergrund. Jetzt hatten wir Zeit für andere Dinge, und wir begannen, uns selbst anzusehen und beschlossen, unser Verhalten zu verändern, um es an die sich wechselnden Zeiten anzupassen.

Zusammen mit vielen Veränderungen haben wir beschlossen, die Art und Weise, wie wir unsere Emotionen ausdrücken, zu ändern. Wir haben uns entschieden, Emotionen in positive und negative zu kategorisieren. Glück, Freude usw. waren positive Emotionen. Wut, Traurigkeit usw. waren negative Emotionen. Langsam aber sicher trainierten wir uns an, unsere negativen Emotionen zu verbergen, weil es als „falsch“ und „würdelos“ galt, in traurigen Zeiten zu weinen oder in schwierigen Zeiten Wut zu zeigen.

Bedauerlicherweise haben die Menschen akzeptiert, dass das Verdrängen von Emotionen der beste Weg ist, mit ihnen umzugehen, und deshalb haben wir uns und unsere Kinder geschult, unsere Emotionen zu verbergen und sie im Inneren zu behalten. Dieses Training ist einer der Hauptgründe, warum sich Menschen so verhalten, wie sie es letztlich tun.

Unsere Gefühle sind nicht dazu da, unterdrückt zu werden. Unsere Emotionen arbeiten mit unserer Intelligenz zusammen, um unser Verständnis der menschlichen Welt und deren Geschehnisse zu erhöhen. Emotionen bringen Musik in unser Leben. Ja, manchmal mag die Musik traurig sein. Aber sehr oft schaffen Emotionen Glück und Schönheit in unserem Leben. Und wir brauchen genau diese für unser Wohlbefinden.

Darüber hinaus sind Emotionen nichts anderes als eine Form von Energie. Die überschüssige emotionale Energie muss freigesetzt oder in die Atmosphäre abgegeben werden, um Unwohlsein zu vermeiden. Um diese Situation besser nachzuvollziehen, können wir das Beispiel einer Kaffeemaschine verwenden. Eine Kaffeemaschine ist eine Maschine, die aromatischen, köstlichen Kaffee brüht. Wie funktioniert sie? Nun, Sie fügen das Kaffeepulver sowie Wasser hinzu und schalten die Kaffeemaschine ein.

Das Wasser kocht und das Kaffeepulver gibt seinen Geschmack an das Wasser ab, was zu einem wunderbaren Kaffee führt. Die überschüssige Energie, die beim Aufheizen des Wassers entstanden ist, muss freigesetzt werden und sollte nicht angesammelt werden, damit die Kaffeemaschine nicht platzt und alles vollspritzt und somit ihr Zuhause verwüstet wird.

Ähnlich muss die emotionale Energie aus unserem Inneren freigesetzt und nicht angesammelt werden. Wenn wir unsere Emotionen unterdrücken, wird die Energie gesammelt und wirkt sich kontraproduktiv auf ein glückliches Leben aus. Wenn die maximale Schwelle unserer Fähigkeit zur Ansammlung emotionaler Energie erreicht ist, wird sie auf unangenehme und zum Teil gefährliche Weise explodieren, was zu Chaos für alle führen kann, die mit einem solchen Menschen in Verbindung stehen.

Gwen-Randall Young, die berühmte preisgekrönte Psychologin, sagt: *„Aggression unterscheidet sich von Wut. Wut ist eine Emotion; Aggression ist ein Verhalten. Es gibt bessere Möglichkeiten, mit Wut umzugehen als sich aggressiv zu verhalten. Aggressive Gespräche, Gesten oder Verhaltensweisen gehören zur alten Art des Daseins. Sobald wir uns auf eine höhere Bewusstseinsebene eingestellt haben, ist Aggression ebenso* überflüssig *wie der Handpflug in der modernen Landwirtschaft."*

Unsere Gefühle vernünftig und produktiv auszudrücken, ist die beste Form, emotionale Energie freizusetzen. Das Unterdrücken von Emotionen ist eine ungesunde Art, mit Gefühlen umzugehen.

Gründe für aggressives Verhalten bei Frauen

Bevor wir uns mit den Gründen für aggressives Verhalten von Frauen in der heutigen Zeit befassen, müssen wir die geschlechtsspezifischen Unterschiede in Bezug auf das Entstehen von aggressivem Verhalten verstehen. Selbst in der heutigen Welt, in der die geschlechtsspezifischen Unterschiede erheblich geringer sind als noch vor einigen Jahrzehnten, dürfen Männer immer noch weit mehr Aggressionen zeigen als Frauen.

Aggression wird traditionell als körperlicher oder verbaler Missbrauch dargestellt, durch den andere verletzt werden. Normalerweise sind Männer körperlich stärker als Frauen. In der heutigen modernen Welt umfasst Aggression jedoch auch nicht-physische Eigenschaften wie übermäßiger Ehrgeiz, Wettbewerbsgeist und

Durchsetzungsfähigkeit, die an eine aggressive Natur grenzen; alles mit der Absicht, eigene egoistische Ziele zu erreichen.

Daher sind Frauen heute auch durchaus aggressiv und zögern nicht, die Aggression in ihrem Verhalten und ihrer Haltung zu zeigen. Hier sind einige Gründe für aggressives Verhalten bei Frauen:

Umfeld im Kindesalter – In der Kindheit wird häufig aggressives Verhalten erlernt. Eltern, die sich aggressiv verhalten, geben diese Gewohnheiten an ihre Kinder weiter, die das elterliche Verhalten beobachten und kopieren. Wenn ein Kind daher ausnahmslos viele Auseinandersetzungen und missbräuchliches Verhalten zwischen seinen Eltern erlebt hat, wird es denken, dass es in Ordnung ist, sich so zu verhalten, und aggressive Gewohnheiten annehmen.

Ungelöste Probleme in der Kindheit – Mädchen, die in irgendeiner Form eine missbräuchliche Kindheit hatten – physisch, sexuell oder emotional – und deren Probleme ungelöst geblieben sind, zeigen typischerweise aggressives Verhalten im Erwachsenenalter.

Stress der modernen Welt – Die Frau der modernen Welt jongliert mit zu vielen Sachen gleichzeitig und möchte in allem, was sie tut, herausragende Leistungen erbringen. Sie will eine Supermama sein. Sie will das Glasdach am Arbeitsplatz durchbrechen. Sie möchte überall sozial aktiv sein und zeigen, dass sie jemand ist, der auch gern feiert. Übertriebene Erwartungen an sich selbst und gesellschaftliche Erwartungen veranlassen viele Frauen, sich aggressiv zu verhalten, um den Stress und unrealistische Erwartungen zu bewältigen. Die moderne Frau möchte in allem, was sie tut, perfekt sein. Dies ist eine unzumutbare Erwartung, die zu übermäßigem Stress und unabsichtlich aggressivem Verhalten führt.

Zusätzlich führen PMS und Wechseljahre zu schwankenden Hormonen, sowie die Komplexität bei der Geburt eines Kindes dazu, dass Frauen heutzutage aggressiver werden. Tatsächlich wird beobachtet, dass aggressives Verhalten nach der Geburt eines Kindes aufgrund von Testosteron, einem Hormon, das in direktem Zusammenhang mit aggressivem Verhalten steht, zunimmt. Der Testosteronspiegel bei Männern ist immer höher als bei Frauen, und dies ist einer der Hauptgründe dafür, dass Männer aggressiver sind als Frauen.

Hier ist eine Erklärung, die von medizinischen Experten für die Aggression nach der Schwangerschaft gegeben wird: Während der Schwangerschaft ist der Testosteronspiegel bei Frauen eher niedrig. Nach der Geburt steigt der Testosteronspiegel an, was ein Grund für ein verstärktes aggressives Verhalten nach der Entbindung sein kann.

Das Verlangen, dominant aufzutreten – Männer gelten traditionell als aggressiver als Frauen, und dieser Grund wird oft verwendet, um Frauen bei Beförderungen zu übergehen. Viele Frauen tendieren dazu, aggressives Verhalten zu verwenden, um dominant aufzutreten, sodass sie in der Lage zu sein scheinen, mit Situationen auf dieselbe Weise umzugehen wie ein Mann.

Geringes Selbstwertgefühl – Eine Frau, die unter geringem Selbstwertgefühl leidet, nutzt Aggression, um dies vor der Außenwelt zu verbergen. Sie glaubt, dass die Leute durch aggressives Verhalten denken, dass sie stark ist und nicht versuchen werden, sie zu verletzen. Frauen mit geringem Selbstwertgefühl verbergen mit aggressivem Verhalten ihre Ängste, Unsicherheiten und Frustrationen über ihre eigenen Fähigkeiten.

Gründe für passiv-aggressives Verhalten bei Frauen

Der Hauptunterschied zwischen aggressivem und passiv-aggressivem Verhalten besteht in der Art und Weise, wie das Verhalten nach außen gezeigt wird. Frauen mit einem aggressiven Kommunikationsstil verwenden offen eine dominante Sprache oder unterwerfen die Meinungen und Standpunkte anderer. Passiv-aggressive Frauen verhalten sich passiv, verwenden aber aggressive Verhaltensweisen subversiv. Hier sind mögliche Gründe, warum einige Frauen passiv-aggressives Verhalten gegenüber aggressivem Verhalten bevorzugen:

Aggressives Verhalten gilt als sozial inakzeptabel, insbesondere für Frauen – Während jeder, unabhängig vom Geschlecht, darauf trainiert ist, seine negativen Emotionen zu verbergen und kein aggressives Verhalten zu zeigen, wird von Frauen mehr als von Männern erwartet, dass sie „ladylike" sind und frei von „ungezogenen" Verhaltensweisen.

Solche konventionellen Ideen sind in den Köpfen von Frauen seit ihrer Kindheit tief verwurzelt. Viele Frauen ziehen es daher vor, ihre aggressive Haltung hinter einer Fassade der Passivität zu verbergen. Sie wenden subversive Methoden bei Menschen an, von denen sie glauben, dass sie sie gedemütigt oder beleidigt haben. Daher ist es üblich, dass Frauen ihren Vorgesetzten Märchen über ihre Kollegen berichten, während sie sich gegenüber den Kollegen nett und höflich verhalten.

Passiv-aggressives Verhalten lässt sich leicht erklären – Leise murmeln, absichtlich etwas falsch machen und dann eine Entschuldigung vortäuschen usw. sind einfach zu erklären und zu umgehen. Es ist sehr schwierig, solche Verhaltensweisen als falsch zu identifizieren und die dafür verantwortlichen Personen zu ermitteln.

Wenn Sie beispielsweise Ihrer Tochter im Teenageralter sagen, sie solle für ihre Prüfung lernen, könnte sie so tun als würde sie die ganze Nacht lernen, und doch nichts Produktives tun, oder? Sie könnte mit aufgeschlagenem Buch an ihrem Schreibtisch sitzen und ihre Gedanken abschweifen lassen.

Rache ist in der Tat süß – Rache ist ein typisches Merkmal von passiv-aggressiven Menschen. Sie hatten nicht die Befriedigung, ihre aggressiven Gefühle herauszulassen. Also tragen sie sie mit sich herum und suchen nach einem geeigneten Moment, um zu der Person zurückzukehren, an der sie Rache nehmen wollen. Trotz allem: Rache ist einfach süß.

Ein klassisches Beispiel: Angenommen, Sie bitten Ihre Tochter, die Kartoffeln für Sie zu schälen. Es sind viele Kartoffeln, und sie will die Aufgabe nicht erledigen. Aber sie kann nicht offen Nein sagen, weil sie weiß, dass Sie sehr streng sind. Also wird sie die Kartoffeln so schälen, dass Sie dies eventuell wiederholen oder nacharbeiten müssen. Schlampiges Arbeiten ist eine klassische Form von passiv-aggressivem Verhalten.

Jimmy Carter, der frühere US-Präsident, sagte: *„Aggression ohne Widerstand wird zu einer ansteckenden Krankheit."* Befolgen Sie also seinen Rat und bekämpfen Sie jede Form von aggressivem Verhalten, das Sie möglicherweise in Ihrem Inneren haben. Lernen Sie stattdessen die Fähigkeiten der Durchsetzungsfähigkeit bzw. des Selbstbewusstseins und erledigen Sie Ihre Arbeit einfach gut.

Kapitel 3:

Ihr aktuelles Level an Selbstsicherheit

Virginia Woolf sagte: „*Ohne Selbstbewusstsein sind wir wie Babys in der Wiege.*" Sich selbst auf einer tiefen Ebene zu kennen, ist der erste Schritt, um sich selbst voran zu bringen. Um Ihr Level an Selbstsicherheit zu verbessern, sollten Sie wissen, wo Sie sich gerade befinden, und erst dann Pläne für weitere Fortschritte machen. In diesem Kapitel, das aus Fragen zur Selbsteinschätzung besteht, können Sie Ihren aktuellen Grad an Selbstsicherheit beurteilen. Fangen wir also an.

Fragebogen #1

F1. Angenommen, Sie stehen in der Warteschlage in einer Bank. Es gibt Leute vor Ihnen und nach Ihnen. Es ist eine ziemlich lange Schlange. Es kommt jemand in die Bank, geht direkt zum Bankangestellten und möchte bedient werden, ohne sich in die Warteschlage zu stellen. Werden Sie Ihre Stimme gegen die Vorgehensweise dieser Person erheben? J/N

F2. Sie kaufen Ihrem Mann zum Geburtstag ein neues Handy und der Verkäufer versichert Ihnen, dass alle gewünschten Funktionen auf dem neuen Handy verfügbar sind. Als Ihr Mann das Gerät ausprobiert, vermisst er jedoch einige Funktionen. Werden Sie zurück in den Laden gehen (der in einiger Entfernung liegt, und zudem haben Sie das Telefon mit einem großen Rabatt bekommen) und eine Erklärung verlangen oder reklamieren? J/N

F3. Wenn Sie aus irgendeinem Grund wütend auf jemanden sind, drücken Sie normalerweise Ihre Gefühle aus, die durch starke Begründungen für Ihre Wut untermauert sind? J/N

F4. Sie helfen Ihrer Tochter bei ihrem wissenschaftlichen Projekt für die Schule. Sie sind Naturwissenschaftlerin, wissen viel über das Thema und haben sofort eine Vorgehensweise im Kopf, wie Projekt bearbeitet werden soll. Laut Ihrer Tochter möchte der Lehrer, dass es auf eine bestimmte Art und Weise durchgeführt wird. Sie sind jedoch der Meinung, dass es auf eine andere Art und Weise durchgeführt werden muss. Am Ende setzen Sie sich mit Ihrem Argument durch, und die Arbeit wird auf Ihre Art und Weise abgeschlossen. Am nächsten Tag bringt Ihre Tochter das Projekt in die Schule und kommt mit klaren Anweisungen des Lehrers nach Hause, um das Ganze auf die gewünschte Art und Weise zu wiederholen, wie es ursprünglich von Ihrer Tochter erläutert wurde. Entschuldigen Sie sich bei Ihrer Tochter und informieren Sie den Lehrer über Ihren Fehler? J/N

F5. Bemühen Sie sich in einer Gruppendiskussion darum, Personen zu ermitteln, die sich nicht wohl fühlen, wenn sie sprechen oder ihre Standpunkte darlegen? J/N

F6. Ihre ältere Schwester, die bis jetzt Ihre Mentorin war, hat sich in den letzten Monaten häufig Geld von Ihnen geliehen. Sie gibt einige triftige Gründe dafür an. Dieses Mal möchte sie jedoch eine relativ große Menge, und Sie sind besorgt um sie. Werden Sie es ablehnen, ihr das Geld zu geben und ehrlich Ihre Bedenken erläutern? J/N

F7. Wenn Sie Teilnehmerin an einer Gruppendiskussion sind, bemühen Sie sich, Ihre Standpunkte klar und deutlich zum Ausdruck zu bringen? J/N

F8. Ihr neuer, gutaussehender Nachbar hat Sie endlich nach einem Date in einem Ihrer Lieblingsrestaurants in der Stadt gefragt. Sie sind begeistert und möchten sicherstellen, dass nichts schiefgeht. Ihre Bestellungen werden serviert und Sie bemerken, dass das von Ihnen bestellte Gericht nicht wirklich Ihrer Bestellung entspricht. Rufen Sie den Kellner zurück und bitten ihn, Ihnen die korrekte Bestellung zukommen zu lassen, auch wenn die Gefahr besteht, dass Sie vor Ihrem Date unangemessen pingelig erscheinen? J/N

F9. Fühlen Sie sich wohl, wenn Sie Ihre Freunde und Familie um einen Gefallen bitten, einschließlich finanzieller Hilfen? J/N

F10. Ihr Sohn lernt für eine wichtige bevorstehende Prüfung. Eine große Gruppe Ihrer Freunde kommt unerwartet vorbei und möchte den Tag in Ihrem Haus verbringen. Der Geräuschpegel wird mit Sicherheit das Lernen Ihres Sohnes stören. Werden Sie Ihre Freunde höflich bitten, an einem anderen Tag wiederzukommen? J/N

F11. Sie haben Geld gespart, um diese bezaubernde Halskette mit Rubinen zu kaufen, die Sie im neuen Juweliergeschäft gesehen haben. Schließlich haben Sie das Geld und besuchen den Laden, um diese zu kaufen. Die Verkäuferin an der Theke zeigt Ihnen ein Paar wunderschöne passende Ohrringe mit Rubinen, die perfekt zur Halskette passen. In Summe kostet Sie das mit dem Paar Ohrringen mehr als Sie veranschlagt haben. Fühlen Sie sich in der Lage, entschieden Nein zu sagen? J/N

F12. Fühlen Sie sich wohl, wenn Sie mit Ihrer Familie und Ihren Freunden über Ihre Meinungen, einschließlich sensibler Angelegenheiten, sprechen? J/N

F13. Fühlen Sie sich wohl dabei, wenn Sie Ihre Ansichten zu sensiblen Themen Ihren Kollegen mitteilen müssen? J/N

F14. Ihr alter Mentor hält eine Präsentation in Ihrem Büro. Plötzlich merken Sie, dass er etwas Falsches sagt, was alle Anwesenden irreführen könnte. Werden Sie aufstehen und Ihren Mentor korrigieren? J/N

F15. Sie gehen zum örtlichen Lebensmittelgeschäft, kaufen ein, nehmen nach dem Bezahlen das Wechselgeld vom Verkäufer, ohne es nachzuzählen, und verlassen das Geschäft. Als Sie nach

Hause kommen, stellen Sie fest, dass Sie zu wenig Wechselgeld erhalten haben. Gehen Sie zurück in den Laden und fragen nach dem Differenzbetrag? J/N

F16. Eine Verwandte, die Sie sehr schätzen und die Ihnen Dinge beigebracht hat, die Ihnen zum Erfolg verholfen haben, kommt zum ersten Mal seit Jahren wieder zu Besuch. Sie ist alt und traurig geworden. Ihre Ansichten haben große Veränderungen erfahren (zum Negativen hin), und Sie haben sich über die Veränderungen erschrocken. Sie sagt etwas, mit dem Sie überhaupt nicht einverstanden sind. Tatsächlich ist es das Gegenteil von einer Idee, die Sie einmal von ihr gelernt haben. Werden Sie Ihre Meinungsverschiedenheit ansprechen? J/N

F17. Eine alte Schulfreundin durchlebt in ihrem Leben gerade eine schlimme Phase. Sie hat Ihnen in der Vergangenheit oft geholfen, indem sie Ihnen Geld geliehen hat. Sie haben ihr das ganze Geld zurückgegeben. Sie hat freilich immer noch einen wichtigen Platz in Ihrem Herzen, weil sie Ihnen geholfen hat, als Sie sie am meisten gebraucht haben. Jetzt kommt sie mit einer Bitte zu Ihnen, die nicht nur unvernünftig, sondern auch illegal ist. Ihre Freundin sagt, das ist es, was sie als Gegenleistung für ihre Unterstützung von Ihnen will. Werden Sie ihr widersprechen und ihre Bitte ablehnen? J/N

F18. Ihre Kinder und die Kinder der Nachbarn versuchen, sich einen Platz im Quiz-Team der Schule zu verdienen. Es gibt ein schriftliches Quiz für die Qualifikationsrunde, und mehr als fünfzig Schüler kämpfen um die vier verfügbaren Plätze. Mit etwas Glück finden die Kinder Ihres Nachbarn heraus, welche Fragen in der Qualifikationsrunde wahrscheinlich gestellt werden. Ihr Nachbar teilt Ihnen diese Fragen mit, damit Ihre und deren Kinder einen Vorteil haben. Werden Sie Ihre Stimme gegen diese Ungerechtigkeit erheben und die Schule informieren, damit sie die Fragen ändern kann? J/N

F19. Ihre Eltern lassen sich scheiden, und Ihre Mutter will für ein paar Monate bei Ihnen wohnen. Ihr Haus ist schon ziemlich voll und Sie können sie nicht für ein paar Monate unterbringen. Werden Sie es ihr höflich aber bestimmt sagen? J/N

F20. Sie und Ihr langjähriger Freund haben beschlossen, zu heiraten, und der Termin ist festgelegt. Er ist sehr wohlhabend, und wenn Sie ihn heiraten, werden Sie ein komfortables Leben führen können. Sie glauben, dass er es jetzt verdient, alles über Sie zu wissen und erzählen ihm ein paar wenig bekannte (und peinliche) Geheimnisse über sich selbst, darunter eines, an dem ein lieber und enger Freund beteiligt ist. Ihr Verlobter gibt diese Informationen jedoch an alle weiter. Werden Sie zugeben, dass Sie sich in Ihrem Freund getäuscht haben, sich gegen seinen Verrat aussprechen und ihn verlassen? J/N

F21. Sie und ein paar andere warten geduldig darauf, dass Sie an die Reihe kommen, um die Hilfe des einzigen Verkäufers in einem Kaufhaus in Anspruch zu nehmen. Ein junges Mädchen geht an der Schlange vorbei, wirft dem Angestellten einen verlockenden Blick zu und erhält vor allen anderen Wartenden Hilfe. Beschweren Sie sich über dieses Verhalten? J/N

F22. Einer Ihrer Kollegen leiht sich Geld von Ihnen und verspricht, es innerhalb eines Monats zurückzugeben. Inzwischen sind es jedoch fast zwei Monate, und es gibt keine Anzeichen dafür, dass er den geliehenen Betrag zurückzahlt. Werden Sie ihn direkt ansprechen und das Geld zurückfordern? J/N

F23. Sie haben normalerweise keine Probleme damit, über sich selbst zu lachen. Eines Tages jedoch verspottet Sie ein Kollege wiederholt, obwohl Sie ihm höflich (und diskret) mitteilen, dass er die Grenze überschreitet. Werden Sie aufstehen und es ihm vor anderen Kollegen sagen? J/N

F24. Sie kommen zu spät zum Schulauftritt Ihrer Tochter. Sie hat eine der Hauptrollen in der Aufführung, also haben Sie einen

Platz direkt vor der Bühne bekommen. Werden Sie bis nach vorne gehen und Ihren Platz einnehmen, in dem Wissen, dass jeder sehen kann, dass Sie zu spät kommen? Hinten sind noch Plätze frei, die Sie unauffällig einnehmen könnten. J/N

F25. Sie sprechen über etwas wichtiges Privates mit einem Teammitglied. Sie teilt ein persönliches Problem mit Ihnen. In der Mitte der Diskussion kommt Ihr Chef herein und möchte über ein bevorstehendes Projekt sprechen. Werden Sie Ihren Chef höflich sagen, dass er Ihnen noch ein paar Minuten Zeit geben soll, um das Gespräch mit Ihrem Teammitglied zu beenden? J/N

Fragebogen #2

Wählen Sie die zutreffendste Antwort, um zu erfahren, welchen Kommunikationsstil Sie normalerweise verwenden:

F1. Sie warten in der Schlange auf den Bus, und jemand stellt sich einfach unverschämt vorne in die Schlange. Was wird Ihre Antwort sein?

1. Sie zeigen der Person sanft, dass man sich immer hinten an der Schlange anstellt.
2. Sie blicken ihn böse an und schieben ihn „aus Versehen" zurück.
3. Sie fordern den Mann auf, den Platz am Ende der Schlange einzunehmen.
4. Sie sagen oder tun gar nichts.

F2. Ihre Cousine soll um neun Uhr morgens zu Ihnen nach Hause kommen, um ein neues Rezept zu lernen. Sie kommt jedoch erst um zehn an. Was machen Sie?

1. Sie sagen Ihrer Cousine einfach, dass Sie nicht gerne warten.

2. Sie sagen nichts und tun so als wäre nichts passiert.
3. Sie fragen sie nach einem Grund für ihre Verspätung und bitten sie, dieses Verhalten nicht zu wiederholen.
4. Sie verlassen das Haus um 9:30 Uhr, damit sie es leer vorfindet, wenn sie ankommt.

Daten sammeln, um Ihren aktuellen Grad an Selbstsicherheit zu beurteilen

Notieren Sie sich etwa einen Monat lang Einzelheiten zu Ihren täglichen Erfahrungen. Behalten Sie die folgenden Punkte im Auge, während Sie Einträge in Ihrem Tagebuch vornehmen:

- Haben Sie Ihre Standpunkte selbstbewusst dargelegt?
- Welcher war Ihr Kommunikationsstil?
- Was waren Ihre Gefühle?
- Glauben Sie, Sie haben Ihre Gefühle vernünftig ausgedrückt?
- Wurde das Ergebnis eines bestimmten Ereignisses von Ihren Emotionen beeinflusst?
- Wie hätten Sie besser mit der Situation umgehen können?

Wenn Sie Ihre Erfahrungen aufschreiben, denken Sie daran, sich nicht selbst zu beurteilen. Seien Sie objektiv und machen Sie sich zahlreiche Notizen über alles, was Ihnen wichtig erscheint.

Verwenden Sie alle drei in diesem Kapitel angegebenen Vorlagen, um Ihren aktuellen Grad an Selbstsicherheit zu ermitteln. Machen Sie Ihre Pläne, um von hier an voranzukommen. Maya Angelou, eine der brillantesten Schriftstellerinnen der Neuzeit, sagte: *„Wenn du es besser weißt, machst du es auch besser.“*

Kapitel 4:

Aufbau von Selbstsicherheit basierend auf Ihren Wertvorstellungen

Patrick Lencioni, der amerikanische Schriftsteller, der für seine Bücher über Unternehmensführung berühmt ist, sagt: *„Eine Wertvorstellung ist etwas, wofür man in Kauf nimmt, bestraft zu werden."* Bevor Sie Ihre Wertvorstellungen identifizieren, lassen Sie uns einen Blick auf deren Definition sowie deren Bedeutung in unserem Leben werfen.

Was sind Wertvorstellungen? Es sind jene Eigenschaften oder persönliche Merkmale, die als Kompass fungieren und uns den Weg zu unseren persönlichen Zielen zeigen. Wertvorstellungen steigern den Wert Ihrer Leistungen und leiten Sie auf Ihrem Lebensweg. Fehlen die Wertvorstellungen, so lassen wir uns nur dahin treiben, wo auch immer äußere Umstände und andere Menschen uns mitnehmen.

Das Fehlen von Wertvorstellungen bedeutet, dass Sie ein richtungsloses Leben führen. Es bedeutet, dass Ihr Leben nicht Ihr eigenes ist. Es gehört der Person bzw. den Personen, die Sie führt bzw. führen. Yolanda Hadid, ein beliebter Reality-TV-Star, sagte: *„Ich verstehe, dass meine Seele meine Kraft ist. Nicht mein Ego oder meine Perfektion. Wenn wir unsere Wertvorstellungen, die unsere Seele beschreiben, authentisch bewahren können, nimmt das Äußere nur den zweiten Platz ein. Wir finden eine Bestimmung in unserem Leben."*

Bedeutung von Wertvorstellungen

Wertvorstellungen verleihen unserem Leben Zielstrebigkeit – Wertvorstellungen helfen uns, Lebensentscheidungen zu treffen, die auf unsere Bedürfnisse und Anforderungen ausgerichtet sind. Angenommen, die Liebe zur Familie ist einer Ihrer Grundwerte und steht über der Karriere. Nehmen wir ein Beispiel, bei dem Sie sich entscheiden müssen, ob Sie wegen eines bevorstehenden Projekts an einem Wochenende arbeiten oder ob Sie mit Ihren Kindern ein Picknick machen möchten.

Da der zentrale Wert der Familienliebe wichtiger ist als die Karriere, werden Sie mit Ihren Kindern eher ein Picknick am Wochenende machen als ins Büro zu gehen. Dieser besondere Grundwert der Familienliebe gibt Ihnen eine gewisse Zielstrebigkeit. Sie entscheiden sich gezielt für eine Sache, weil Sie von Ihren Grundwerten gesteuert werden.

Wertvorstellungen vereinfachen unsere Entscheidungsprozesse – Nehmen wir das obige Beispiel noch einmal her. Es ist so einfach, Ihre Kinder der Arbeit vorzuziehen, weil Ihre Grundwerte tief in Ihrer Psyche, in Ihrem Inneren verankert sind. Sie müssen nicht allzu viel überlegen. Sehen Sie sich Ihre Auswahlmöglichkeiten an und prüfen Sie, welche mit Ihren Wertvorstellungen übereinstimmen. Dann wählen Sie diese entsprechend aus. Wertvorstellungen vereinfachen somit unsere Entscheidungsprozesse.

Wertvorstellungen steigern unsere Zuversicht – Grundwerte sind leistungsstarke Lebenswerkzeuge, die uns Zielstrebigkeit geben und uns dabei helfen, ein authentisches Leben zu führen – gesteuert von unserer Seele. Unter solchen Umständen bestimmen Misserfolge und Erfolge nicht unsere Selbstsicherheit. Das Leben sinnvoll zu leben, definiert die Selbstsicherheit, und das ist es, wobei uns unsere Wertvorstellungen helfen; das Leben aus den Tiefen unserer Seele heraus zu leben.

Identifikation Ihrer Wertvorstellungen

Es gibt Hunderte von Grundwerten, aus denen Sie diejenigen auswählen können, die am besten zu Ihrem Lebensstil passen. Anstatt jedoch aus einer vordefinierten Liste zu wählen, können Sie Ihre Wertvorstellungen anhand Ihrer eigenen Erfahrungen ermitteln, da Wertvorstellungen Teil unserer angeborenen Persönlichkeit sind. Alles, was wir tun müssen ist, sie zu identifizieren und zu bezeichnen. Verwenden Sie die folgende Vorlage, um tief in Ihre Seele zu blicken und Ihre Antworten auf die verschiedenen Fragen zur Selbsteinschätzung aufzuschreiben.

Erinnern Sie sich an die fünf besten und glücklichsten Erlebnisse in Ihrem Leben – Erinnern Sie sich an diese Ereignisse und beantworten Sie die folgenden Fragen für jedes der Erlebnisse:

Beschreiben Sie detailgenau, was passiert ist. Was? Wann? Wie? Wer waren die anderen anwesenden Personen?

____

____

____

____

Wie haben Sie sich zu diesem Zeitpunkt gefühlt?

____

____

____

____

Welche Gedanken hatten Sie?

____

____

____

____

Welche Ihrer Wertvorstellungen haben sich während dieser Erfahrungen deutlich gezeigt? Wenn das Ereignis geschehen ist, als Sie noch sehr jung waren, haben Sie möglicherweise noch nicht gewusst, welche Grundwerte Teil der Erfahrung waren. Wenn Sie diese Erfahrungen jetzt noch einmal durchleben, werden Sie die Wertvorstellungen deutlich erkennen.

____

____

____

____

Wenn Sie Ereignisse detailliert wieder abrufen möchten, schließen Sie einfach Ihre Augen und lassen Sie Ihre Gedanken schweifen. Viele unserer schönen Erinnerungen sind tief in unseren Köpfen verankert, und wenn wir bewusst an sie denken, entstehen die meisten Bilder mit wenig oder gar keiner Mühe, wie von selbst. Machen Sie also weiter, geben Sie sich dieser Selbsteinschätzung hin und finden Sie die Antworten auf die gestellten Fragen.

Erinnern Sie sich an die fünf schlimmsten oder traurigsten Erlebnisse in Ihrem Leben – Schreiben Sie Ihre Antworten erneut auf dieselben Fragen wie oben nieder.

Beschreiben Sie detailgenau, was passiert ist. Was? Wann? Wie? Wer waren die anderen anwesenden Personen?

____

____

____

____

Wie haben Sie sich zu diesem Zeitpunkt gefühlt?

____

____

____

____

Welche Gedanken hatten Sie?

___

___

___

___

Welche Ihrer Wertvorstellungen wurden bei diesen Erfahrungen unterdrückt?

___

___

___

___

Bestimmen Sie als Nächstes Ihren Verhaltenskodex – Ihr Verhaltenskodex wird von den Elementen bestimmt, die Ihr Leben sinnvoll machen. Was sind die Dinge, die Sie benötigen, um ein erfülltes Leben zu führen, nachdem Sie sich um Ihre grundlegenden überlebensnotwendigen Bedürfnisse gekümmert haben? Was sind die Elemente, ohne die sich Ihr Leben leer und öde anfühlt? Ohne diese Dinge werden Sie sich niemals weiterentwickeln. Hier einige Beispiele zum besseren Verständnis:

- Abenteuer und Reisen
- Lernen
- Familienglück
- Karrierefortschritt
- Natur
- Gesundheit und Vitalität
- Finanzielle Sicherheit

Erstellen Sie eine Liste mit allen gesammelten Grundwerten – Durch die obigen drei Übungen sollten Sie eine ziemlich große Liste von Grundwerten erhalten haben. Schreiben Sie alle auf einem Blatt zusammen.

Kombinieren Sie ähnliche Werte miteinander – Es ist sehr wahrscheinlich, dass Sie eine ziemlich lange Liste von

Grundwerten erhalten haben. Verwenden Sie die Liste, um ähnliche Werte miteinander zu kombinieren. Zum Beispiel:

- Disziplin, Aktualität, Hingabe, Engagement usw. können eine Gruppe bilden.
- Gebete, Spiritualität, Weisheit, Frömmigkeit, Glaube usw. können auch zusammengefasst werden.

Bezeichnen Sie das zentrale Thema jeder Gruppe – In den obigen Beispielen können die Disziplin, Aktualität, Hingabe und das Engagement als „Disziplin" bezeichnet werden. Gebete, Spiritualität, Weisheit, Gottseligkeit und Glaube können als „Glaube an das Göttliche" oder „Spiritualität" bezeichnet werden.

Erstellen Sie die endgültige Liste Ihrer Wertvorstellungen – Wählen Sie aus Ihrer Liste die fünf bis zehn wichtigsten Elemente aus. Sie werden zu Ihren einzigartigen und persönlichen Grundwerten. Die Anzahl von fünf bis zehn ist wichtig, da eine Liste mit weniger als fünf Elementen möglicherweise nicht alle Lebensbereiche abdeckt und eine Liste mit mehr als zehn Elementen zu unhandlich wird, sodass die gesamte Übung zur Erstellung von Grundwerten für ein sinnvolles und erfülltes Leben Ihr Ziel verfehlt.

Vergeben Sie Prioritäten innerhalb Ihrer Liste der Wertvorstellungen – Priorisieren Sie Ihre Grundwerte anhand ihrer Wichtigkeit für Ihr Leben. Diese Übung kann vielleicht länger als gedacht dauern, da das Ordnen einer Liste von Elementen, die alle gleich wichtig erscheinen, eine große Herausforderung darstellt. Wie entscheiden Sie, ob etwas wichtiger ist als etwas Anderes? Hier ein Tipp dazu.

Erinnern Sie sich wieder an Ihre besten und schlechtesten Erfahrungen, und konzentrieren Sie sich diesmal auf die Intensität der gespürten Gefühle. Je höher die Intensität, desto wichtiger die Emotion und der entsprechende Grundwert. Das Ranking ist eine wichtige Aktivität bei der Erstellung einer effektiven Liste der Wertvorstellungen. Sie benötigen das Ranking in bestimmten Situationen, in denen zwei oder mehrere Ihrer Grundwerte in Konflikt miteinander stehen und Sie sich gezwungen fühlen, eines über ein anderes zu stellen.

Verwenden Sie Ihre Wertvorstellungen, um Ihre Selbstsicherheit zu steigern

Sobald Sie Ihre Grundwerte tief in Ihrer Psyche verankert haben, werden Sie feststellen, dass es einfacher ist, selbstsicher aufzutreten und für Ihre Überzeugungen und Prinzipien einzustehen. Die Klarheit Ihrer Grundwerte verleiht Ihnen diese Kraft. Darüber hinaus ist Selbstsicherheit nicht nur eine Form des Kommunikationsstils. Selbstsicherheit umfasst auch andere Aspekte des Lebens, einschließlich:

Einhalten unserer Versprechen – Selbstsicher zu sein bedeutet auch selbstbewusst zu sein, was wiederum das Einhalten von gegebenen Versprechen erfordert. Grundwerte helfen Ihnen, Ihre Versprechen einzuhalten, da sie Sie daran hindern, von Ihren Lebenszielen abzuweichen.

Selbstsicherheit verhindert, dass wir unsere Wahl ein zweites Mal überdenken müssen – Selbstsicherheit beinhaltet unsere Fähigkeit, Verantwortung für unsere Wahl zu übernehmen und unsere Entscheidungen nicht überdenken zu müssen. Grundwerte helfen uns, klare Entscheidungen zu treffen, die auf unsere Lebensziele ausgerichtet sind, und stellen somit sicher, dass wir unsere Entscheidungen nicht noch einmal überdenken müssen.

Unser Engagement für unsere Lebensziele bewahren – Unsere Lebensziele sind nichts anderes als unsere Versprechen an uns selbst. Daher helfen uns Grundwerte, ähnlich wie beim Einhalten von Versprechen an andere Menschen, unsere Versprechen gegenüber uns selbst einzuhalten. Diese Einstellung hilft uns wiederum, Nein zu kontraproduktiven Elementen zu sagen, die unser Wachstum und unsere Entwicklung behindern können.

Das Erkennen und Identifizieren Ihrer Grundwerte ist folglich der erste und wichtigste Schritt hin zur Steigerung Ihres Grads an Selbstsicherheit.

Kapitel 5:

Verändern Sie Ihre inneren Überzeugungen

Eines der größten Hindernisse für den Aufbau unserer Selbstsicherheit ist unser innerer Glaube. Während wir in der Gesellschaft aufwachsen und uns entwickeln, interagieren wir miteinander. Dadurch werden uns bestimmte Dinge beigebracht, und wir sind der Meinung, dass wir nur nach diesen Überzeugungen leben sollten.

Diese inneren Überzeugungen sind tief in unserer Psyche verankert und hindern uns daran, positive Veränderungen in unserem Leben umzusetzen. Zum Beispiel wird uns als Kind beigebracht, dass wir keine Wut zeigen dürfen, weil es falsch ist, wenn Kinder wütend sind. In diesem Alter könnte Wut jedoch sinnvoll sein, weil Kinder immer Wutanfälle verwenden, um ihren Zorn zu zeigen. Ihnen zu sagen, dass es inakzeptabel ist, Ärger zu zeigen, ist daher ein wirksames Mittel, um Kinder zu disziplinieren und ihnen die Bedeutung des Umgangs mit negativen Emotionen beizubringen.

Wenn diese überholte Lektion jedoch auch als erwachsene Frau in Ihrer Psyche verankert bleibt und Sie weiterhin negative Emotionen wie Wut und Traurigkeit unterdrücken, wirkt sich der Kaffeemaschinen-Effekt zwangsläufig negativ auf Ihr Leben aus. Daher sollten solche irrelevanten und wertlosen inneren Überzeugungen aus Ihrer Denkweise entfernt und durch relevante und sinnvolle Überzeugungen ersetzt werden. Hier sind einige innere Überzeugungen, die unbestimmtes Denken fördern und uns daran hindern, Selbstsicherheit aufzubauen:

- Ich soll nicht über meine negativen Emotionen sprechen, weil es nicht richtig ist, andere mit meinen Problemen zu belasten.
- Wenn ich meine Meinungen und Gedanken ausspreche, könnte sich die andere Person schlecht fühlen, was meine gute Beziehung zu ihr oder ihm ruinieren könnte.
- Es ist peinlich, offen über Gefühle und Emotionen zu sprechen, weil sie privat sind und im Verborgenen gehalten werden sollen.
- Wenn ein Freund mir seine Hilfe einmal verweigert, bedeutet dies, dass er oder sie mich nicht mag.
- An mir interessierte Personen sollten in der Lage sein, meine Gedanken zu lesen, und Personen, die sich nicht für mich interessieren, sollten meine Gedanken nicht kennen. Daher sollte ich nicht mit jedem über meine Gefühle sprechen.
- Alles zu sagen, was ich gerne sagen möchte, ist selbstzüchtig.
- Niemand, einschließlich mir, kann seine Gedanken ändern.
- Normalerweise sollten Emotionen in einer Person verborgen bleiben.
- Wenn ich über Angst und Nervosität spreche, werde ich als schwach angesehen, was dazu führen kann, dass sich Leute über mich lustig machen.
- Lob anzunehmen ist ein Zeichen von Arroganz.

Im Jahr 1975 schrieb Manuel J. Smith ein Buch mit dem Titel *„Wenn ich nein sage, fühle ich mich schuldig"*. In diesem Buch schlug er ein „Gesetz für Selbstbestimmungsrechte" vor. Dieses „Gesetz" ist eine Sammlung innerer Überzeugungen und Gedanken, die die Selbstsicherheit fördern. Einige von ihnen lauten:

- Jeder, einschließlich mir, hat das Recht, über sein oder ihr eigenes Verhalten, seine oder ihre eigenen Gedanken und Gefühle zu urteilen und die Verantwortung für deren Folgen zu übernehmen.

- Jeder hat das Recht, Nein zu sagen.
- Es ist nicht erforderlich, Ihre Handlungen oder Ihr Verhalten zu rechtfertigen.
- Sie können das Verhalten oder die Handlungen anderer nur beurteilen, wenn Sie die Verantwortung dafür tragen, Lösungen für deren Probleme zu finden.
- Jeder hat das Recht, seine oder ihre Gedanken zu ändern.
- Jeder hat das Recht zu wählen, ob man der Meinung anderer zustimmt oder nicht zustimmt.
- Jeder hat das Recht, Fehler zu begehen und die Verantwortung für die Folgen dieser Fehler zu übernehmen.
- Jeder hat das Recht zu sagen: „Ich weiß es nicht“ oder „Ich verstehe es nicht“ oder „Es interessiert mich nicht“.
- Jeder hat das Recht, unlogische Entscheidungen zu treffen.

Verändern Sie Ihre inneren Überzeugungen

Kilroy J. Oldster, der berühmte Prozessanwalt, Mediator und Schlichter und Autor von Dead Toad Scrolls, sagt: „Das Leben tendiert dazu, einem Menschen das zu geben, was er braucht, um zu wachsen. Unsere Überzeugungen, die wir im Leben schätzen, bilden den Fahrplan für die Art des Lebens, das wir durchleben. Eine Zeit persönlichen Unglücks zeigt, dass unsere Werte manchmal unangebracht sind und wir uns auf dem falschen Weg befinden. Solange eine Person ihre Werte und Ideen nicht ändert, wird sie weiterhin Unzufriedenheit verspüren.“

Um mehr Selbstsicherheit zu erlangen, müssen Sie Ihre inneren Überzeugungen von denen, die unbestimmtes Denken fördern, in solche ändern, die selbstbestimmtes Denken fördern. Einige von uns können ihre inneren Überzeugungen ändern, indem sie einfach wissen und akzeptieren, dass sie zu ihrem eigenen Wohl etwas ändern müssen.

Viele von uns haben jedoch nicht den Luxus, eine so flexible Mentalität zu besitzen. Wir müssen Gründe und Beweise dafür finden, warum die alten inneren Überzeugungen keinen Sinn ergeben und wie die neuen inneren Überzeugungen uns dabei helfen, unsere Durchsetzungsfähigkeit zu verbessern und weiterzuentwickeln. Psychologen bezeichnen diesen Ansatz, alte innere Überzeugungen direkt in Frage zu stellen, um sie zu ändern, als „Disput".

Der Prozess des Disputs basiert auf der Idee, dass unsere inneren Überzeugungen keine Fakten sind, sondern gelernte Meinungsbilder. Während Tatsachen nicht geändert werden können, können Meinungen leicht modifiziert und so einer bestimmten Situation angepasst werden. Schädlichen Meinungen sollte man nicht blind vertrauen. Wir können diese Meinungen bekämpfen und kontern, indem wir neue und wertvollere Meinungen schaffen als zuvor. Gedankentagebücher sind ein wirksames Mittel, um innere Überzeugungen festzuhalten und aufkommenden Auseinandersetzungen entgegenzuwirken.

Gedankentagebücher pflegen – Unsere Gedanken sind nicht zufällig, sondern verworren und verirren sich irgendwo in den Tiefen unseres Geistes, während wir die Emotionen hinter uns lassen. Menschen haben kein Problem damit, mit positiven Emotionen umzugehen, die durch positive Gedanken ausgelöst werden. Wir müssen jedoch in Deckung gehen, wenn eine Flut an negativen Emotionen kommt, die durch negative Gedanken ausgelöst werden. Das Pflegen von Gedankentagebüchern ist der beste Weg, um mit diesen zufälligen, verworrenen und höchst unberechenbaren Gedanken umzugehen.

Zum besseren Verständnis hinsichtlich des Führens von Gedankentagebüchern, betrachten wir ein Beispiel mit dem Ziel, alten inneren Überzeugungen entgegenzuwirken. Angenommen, Sie bitten eine gute Freundin, Ihnen mit etwas Geld auszuhelfen, damit Sie in einer besonders schlechten Phase Ihres Lebens zurechtkommen. Sie sagt jedoch Nein. Sie sind überrascht von ihrer Reaktion, weil Sie dachten, sie würde Ihnen helfen, so wie Sie ihr früher auf die gleiche Weise geholfen haben. Warum hilft sie Ihnen nicht? Nun, dies ist die Situation, in der wir unser Gedankentagebuch schreiben sollten. Das Gedankentagebuch besteht aus zwei Teilen:

Teil I verlangt, dass Sie über Ihre Gefühle, Gedanken und Ihr Verhalten schreiben.

Teil II verlangt von Ihnen, tief in Ihren Geist einzutauchen, um Beweise für oder gegen die eigenen Gedanken und Gefühle zu finden.

Teil I: Identifizieren Sie Ihre Emotionen – Finden Sie Antworten auf die folgenden Fragen:

Was waren Ihre Gefühle? Sie sollten Ihre Emotionen nicht nur identifizieren, sondern auch zwischen 1 und 10 bewerten. 1 ist am wenigsten intensiv und 10 ist am intensivsten. Wenn Sie beispielsweise Wut verspürt haben und die von Ihnen angegebene Intensität 8 beträgt, bedeutet dies, dass Ihre Wut sehr intensiv war.

____

____

____

____

Teil I: Identifizieren Sie Ihre Gedanken – Finden Sie Antworten auf die folgenden Fragen:

Was waren Ihre Gedanken? Haben Sie sich gefragt, warum Ihre Freundin sich so benommen hat wie sie es getan hat? Oder sind Sie besorgt, dass sie sich vielleicht verletzt fühlt wegen etwas, dass Sie getan haben und sich deswegen abwendet? Bewerten Sie erneut die Intensität Ihrer Gedanken von 1 bis 10.

____

____

____

____

Teil I: Identifizieren Sie Ihr Verhalten – Finden Sie Antworten auf die folgenden Fragen:

Was haben Sie gemacht? Haben Sie etwas Böses zu ihr gesagt? Oder haben Sie ihre Anrufe ignoriert? Was waren Ihre physischen Empfindungen? Bewerten Sie die Intensität Ihres Verhaltens von 1 bis 10.

____

____

____

____

Befolgen Sie die Regel, sich immer an Fakten zu halten, während Sie Einträge in Ihr Gedankentagebuch machen. Lassen Sie Ihre Meinungen und Interpretationen außen vor. Schreiben Sie nur Fakten auf. Zum Beispiel: „Meine Freundin hat es abgelehnt, mir heute mit Geld auszuhelfen." ist sachlich, während „Meine Freundin hat mich unsanft zurückgestoßen, als ich nach Geld gefragt habe, das ich dringend bräuchte." stark nach Ihrer Meinung und Interpretation riecht.

Teil II: Beantworten Sie die folgenden Fragen:

Welche Art von Kommunikationsstil habe ich in dieser gesamten Situation verwendet? War dieser aggressiv, passiv oder anders? Welche Beweise gibt es für dieses Verhalten?

____

____

____

____

Gibt es irgendwelche Beweise oder Belege, die meine Gefühle, Gedanken und Verhaltensweisen irgendwie beeinflussten?

____

____

____

____

Habe ich dafür gesorgt, dass sowohl meine Grundrechte als auch die meiner Freundin gewahrt wurden?

____
____
____
____

Habe ich irgendein Element vermisst, während ich den Auswirkungen meiner Gedanken, Gefühle und Verhaltensweisen ausgesetzt war?

____
____
____
____

Wie hätte ich mein Verhalten verbessern können?

____
____
____
____

Hier einige anschauliche Beispiele für mögliche Antworten, wenn Sie über die jeweilige Situation nachdenken:

Teil I

Was *waren Ihre Gefühle? Ich war wütend und verletzt von ihrer Ablehnung. Intensität der Emotion: 8*

Was *waren Ihre Gedanken? Ich dachte: „Ich habe ihr schon so oft geholfen. Sie sollte jetzt dasselbe mal für mich tun.“ Intensität: 8*

Was *haben Sie gemacht? Als sie mich nach dieser Ablehnung anrief, nahm ich ihren Anruf nicht an. Sie rief mich dreimal an und ich ignorierte alle ihre drei Anrufe. Ich habe sie nicht zurückgerufen. Intensität: 8*

Teil II

Welche Art von Kommunikationsstil habe ich in dieser gesamten Situation verwendet? *Ich verhielt mich passiv-aggressiv, indem ich ihr nicht offen meine verletzten Gefühle mitteilte und stattdessen beschloss, ihre Anrufe einfach zu ignorieren.*

Gibt es irgendwelche Beweise oder Belege, die meine Gefühle, Gedanken und Verhaltensweisen irgendwie beeinflussten? *Nein, es gibt überhaupt keine Beweise. Dies sind nur meine Gefühle und Meinungen.*

Habe ich dafür gesorgt, dass sowohl meine Grundrechte als auch die meiner Freundin gewahrt wurden? *Nein, eines der ersten Grundrechte, die ich ignorierte, war, dass jeder das Recht hat, Nein zu sagen.*

Habe ich irgendein Element vermisst, während ich den Auswirkungen meiner Gedanken, Gefühle und Verhaltensweisen ausgesetzt war? *Ja, in der Vergangenheit hat meine Freundin mich mehrmals unterstützt. Vielleicht gab es einen wirklich zwingenden Grund für sie, diesmal Nein zu sagen.*

Wie hätte ich mein Verhalten verbessern können? *Ich hätte direkter sein können und sie nach dem Grund ihrer Ablehnung fragen können. Ich hätte fragen können, ob sie Probleme hat, bei deren* Lösung *ich helfen könnte, weil ihr Verhalten nicht wirklich normal war.*

Nachdem Sie Ihre Beobachtungen in Teil II gelesen haben, versuchen Sie, die Intensität Ihrer Emotionen und Gedanken zu bewerten, und Sie werden feststellen, dass ein spürbarer Rückgang deutlich wird. Daher können Sie mit Hilfe von Gedankentagebüchern Ihre alten inneren Überzeugungen in Frage stellen und sie durch relevante und nützliche ersetzen. Darüber hinaus helfen Ihnen Gedankentagebücher dabei, Ihre Emotionen mit einer erhöhten Objektivität zu betrachten, was Ihnen wiederum dabei hilft, Situationen produktiver als zuvor zu managen.

Kapitel 6:

Üben von Kommunikationstechniken

Um positive Veränderungen an Ihren Kommunikationstechniken herbeizuführen, müssen Sie zunächst wissen, aus welchen Gründen Personen einen oder mehrere der vier in Kapitel 1 beschriebenen primären Kommunikationsstile verwenden. Miranda Kerr, das berühmte australische Modell, sagt: *„Wenn Sie über das Wissen verfügen, wie Sie sich um sich selbst kümmern können, können Sie auch eine bessere Version von sich selbst sein."*

Gründe für eine passive Kommunikation

- Allen um mich herum gefallen wollen
- Mangel an Selbstbewusstsein
- Übermäßig besorgt darüber sein, ob geäußerte Meinungen von anderen richtig aufgenommen werden oder nicht
- Übermäßig sensibel gegenüber Kritik
- Mangel an Selbstsicherheit

Gründe für eine aggressive Kommunikation

- Übermäßige Fokussierung auf das Erreichen der eigenen Ziele mit wenig oder gar keinem Mitgefühl
- Nur sich selbst gefallen wollen
- Übersteigertes Selbstbewusstsein

- Missachtung äußern gegenüber Standpunkten und Meinungen anderer
- Schlechte Fähigkeiten des Zuhörens

Gründe für selbstbestimmte Kommunikation

- Hohes Maß an Selbstvertrauen ohne Arroganz
- Hohes Selbstbewusstsein in Bezug auf die eigenen Stärken und Schwächen
- Selbstakzeptanz
- Hohe Belastbarkeit gegenüber Kritik und Feedback
- Immer im Lernmodus

Im Folgenden finden Sie einige Tipps und Techniken, mit denen Sie Ihre Kommunikationstechniken hin zu mehr Selbstbestimmtheit verbessern können.

Bauen Sie Ihre Fähigkeit des Zuhörens aus

Eine der größten Hürden für die Verbesserung der Selbstsicherheit ist ein Mangel an der Fähigkeit des Zuhörens Die meisten Menschen, die auf aggressive oder passive Kommunikations- und Verhaltensformen zurückgreifen, sind nicht in der Lage, zuzuhören und den richtigen Sinn dahinter zu verstehen.

Selbstbestimmtheit erfordert herausragende Fähigkeiten des Zuhörens, da dies Ihnen hilft, zwischen wertvollen und wertlosen Gedanken und Ideen zu unterscheiden; sowohl Ihrer eigenen als auch die der anderen. Diese Unterscheidungskraft ermöglicht es Ihnen, sensible aber bestimmte Aussagen zu treffen, die von allen akzeptiert werden können. Hier sind einige Tipps zum Ausbau der Fähigkeit des Zuhörens:

Seien Sie präsent im Gespräch – Es geht nicht nur darum, physisch präsent zu sein. Ihr physischer Körper, Ihre Gedanken, Ihr

Herz, Ihr Verstand und Ihr gesamtes Wesen müssen sich auf das stattfindende Gespräch konzentrieren. Beseitigen Sie ablenkende Elemente wie Ihre elektronischen Geräte, während Sie mit anderen Personen sprechen. Achten Sie auf ein gesundes Maß an Augenkontakt mit den an der Unterhaltung beteiligten Personen, damit diese wissen, dass Sie ihnen zuhören.

Konzentrieren Sie sich auf den Sprechenden, ohne dominierend oder anmaßend zu wirken. Dieser Tipp ist besonders wichtig, weil wir mit unserer Ernsthaftigkeit ein „guter Zuhörer" sein zu wollen, uns übermäßig auf den Sprechenden konzentrieren, was für manche Menschen unangenehm sein kann.

Seien Sie nicht wertend - Jeder hat ein Recht auf seine oder ihre Meinung. Dies ist eines der wichtigsten Elemente in dem in Kapitel 5 behandelten „Gesetz der Selbstbestimmungsrechte". Daher haben Sie als Zuhörer nicht das Recht, die Ansichten und Meinungen anderer zu beurteilen. Hören Sie offen und objektiv zu.

Zuhören, ohne zu urteilen, erlaubt es Ihnen, sich Standpunkte ohne Spott oder Böswilligkeit anzuhören. Es erlaubt Ihnen einfach zu respektieren, dass jede Meinung etwas Gutes in sich trägt. Diese objektive Perspektive stellt sicher, dass Sie den Wert in jeder Sichtweise und Idee erkennen und verwenden können.

Unterbrechen Sie den Sprechenden nicht - Wenn jemand spricht, unterbrechen Sie sie oder ihn nicht, um Ihre Lösungen aufzudrängen. Es ist möglich, dass Sie einen zusätzlich relevanten Aspekt zum Thema haben. Vielleicht hat er oder sie den Punkt vergessen. Auch in solchen Szenarien sollten Sie den Sprechenden jedoch nicht unterbrechen.

Warten Sie, bis die Person fertig ist und stellen Sie dann Ihren Standpunkt dar. Wenn ein Sprechender abrupt unterbrochen wird, werden oft mehrere falsche Nachrichten gesendet, darunter:

- Ich möchte mir Ihre Ideen nicht anhören.
- Meine Meinung ist besser (oder wichtiger) als Ihre.
- Sie verschwenden meine Zeit.
- Ihre Ideen interessieren mich nicht wirklich.

Alle diese Botschaften, die Ihren unhöflichen Unterbrechungen zugrunde liegen, spiegeln Aggression wider. Vermeiden Sie daher die Unterbrechung eines Sprechenden, um Aggressionen zu reduzieren und Selbstsicherheit zu verbessern.

Identifizieren Sie Ihren selbstbestimmten Tonfall

In dem Film *Der Teufel trägt Prada* spricht Meryl Streep den ganzen Film über sehr selbstsicher. Sie braucht ihre Stimme nicht zu erheben, um die Leute dazu zu bringen, ihren Befehlen zu gehorchen. Sie spricht einfach in einem sachlichen Ton, der nur so vor Selbstsicherheit strotzt. Das ist die Art von Stimme, die Sie für sich selbst identifizieren und finden müssen.

Hier finden Sie einige Tipps, um Ihren natürlichen Tonfall zu finden, den Sie unter normalen Umständen verwenden, z. B. um jemanden am Esstisch zu bitten, Ihnen das Salz zu reichen. Dies ist der Tonfall, den Sie identifizieren und in all Ihren Gesprächen verwenden müssen, um selbstsicherer aufzutreten als zuvor. Befolgen Sie diese Schritte, um Ihre „Reichen Sie mir bitte das Salz"- Stimme zu identifizieren:

Schritt #1 – Identifizieren Sie Ihren natürlichen Tonfall. Konzentrieren Sie sich dazu darauf, wie Sie den Menschen alltägliche Dinge mitteilen. Wenn Sie zum Beispiel am Esstisch sitzen und jemanden (irgendjemanden am Tisch) bitten, Ihnen das Salz zu reichen, wie ist Ihr Tonfall? Konzentriere, Sie sich auf diesen Ton und lernen Sie, ihn wiederzuerkennen.

Dies ist Ihr eigener natürlichster Ton, und diesen Ton müssen Sie in allen Situationen verwenden, um Ihre Selbstsicherheit zu verbessern. Dieser natürliche Tonfall Ihrer Stimme kommt ohne Emotionen oder Urteilsvermögen aus und spiegelt die Selbstsicherheit bestmöglich wider. Denken Sie daran, dass dieser natürliche Tonfall niemandem schadet; ein Schlüsselelement für Selbstsicherheit.

Schritt #2 – Identifizieren Sie alle Situationen in Ihrem Leben, in denen Ihr Tonfall „ausfällt", zu laut oder zu leise klingt, getrieben von unkontrollierbaren Emotionen. Erinnern Sie sich an diese Erfahrungen und schreiben Sie diese so genau wie möglich auf. Hier sind einige Hinweise, die Ihnen den Einstieg erleichtern sollen:

- Wo befindet sich Ihr Komfortniveau bzw. Ihre Wohlfühlzone bei einem Geschäfts-bzw. Arbeitstreffen?
- Wie wohl fühlen Sie sich, wenn Sie unter Anwesenheit Ihrer Vorgesetzten Ihre Gedanken und Meinungen mitteilen müssen? Wie, wenn nur Ihre Teamkollegen dabei sind? Und wie, wenn alle anwesend sind?
- Glauben Sie, dass Ihre Kollegen Ihnen gegenüber positiv gestimmt sind, wenn Sie in einer Besprechung etwas mitteilen?
- Wie wohl fühlen Sie sich, wenn Sie mit Ihren Liebsten und engen sprechen?
- Wie wohl fühlen Sie sich, wenn Sie mit Leuten sprechen, die Sie nicht mögen?
- Wie gestaltet sich Ihre Komfortzone, wenn Sie mit Fremden auf der Straße sprechen müssen, von denen Sie wissen, dass Sie sie nie wiedersehen werden?

Verwenden Sie diese Hinweise, um Situationen mit veränderter Stimme zu identifizieren. Welche Art von Stimme verwenden Sie beispielsweise, wenn Sie sich in einer Besprechung im Büro unter Anwesenheit Ihres Chefs wohlfühlen? Ist diese sehr weich, schrill oder irgendwie anders? Oder ist diese normal?

Identifizieren Sie auf die gleiche Weise Ihren Tonfall für jede der oben genannten Situationen und notieren Sie diese. Anhand dieser Notizen können Sie erkennen, wann Sie selbstsicher auftreten und wann nicht.

Schritt #3 – Wählen Sie all jene Situationen aus, in denen Sie nicht die „Reichen Sie mir bitte das Salz"- Stimme verwenden. In der Regel bedeutet dies, dass Sie sich in diesen Situationen unwohl fühlen. Üben Sie nun jede der unangenehmen Situationen mit Ihrem natürlichen Tonfall. Anfänglich werden Sie es seltsam finden, Ihren natürlichen Tonfall in emotional aufgeladenen Situationen, in denen Wut, Traurigkeit, Glück usw. vorherrschen, anzuwenden.

Geben Sie trotzdem nicht auf. Üben Sie weiter, indem Sie emotional geladene und unangenehme Sätze in Ihrem natürlichen Tonfall sprechen. Durch geduldiges Üben werden Sie feststellen, dass Sie Dinge sagen können, ohne Ihre Stimme zu erheben, und dennoch selbstbewusst und entschieden auftreten.

Schritt #4 – Wenn Sie durch das Üben allein eine Komfortzone für sich erreicht haben, wenden Sie Ihre Erkenntnisse auch in der realen Welt an. Verwenden Sie diesen natürlichen Ton, wenn Sie wütend auf Ihr Kind oder Ihren Ehepartner oder auf jemanden sind, dem Sie vertrauen. Sie werden den Unterschied bemerken und sehen, ob Ihre Bemühungen Früchte tragen.

Üben Sie alternativ Ihre Stimme, wenn Sie mit Fremden oder Verkäufern sprechen. Ein Beispiel: Sie bemerken, dass eine bestimmte Verkäuferin versucht, Ihnen etwas zu verkaufen, was Sie aber nicht möchten. Sie können spüren, wie Ihre Verärgerung innerlich steigt. Seien Sie sich dieser Emotion bewusst. Versuchen Sie diese beiseite zu legen und verwenden Sie dann bewusst Ihren natürlichen Ton, um Nein zu der belästigenden Verkäuferin zu sagen.

Üben Sie auf diese Weise langsam, wie Sie in realen Situationen die „Reichen Sie mir bitte das Salz"- Stimme verwenden. Nach einigen Bemühungen werden Sie feststellen, dass sich Ihre Unannehmlichkeiten beim Umgang mit schwierigen Situationen erheblich verringern und Ihre Selbstsicherheit einen enormen Schub erhalten wird.

Lernen Sie, Nein zu sagen und selbstbestimmte Sätze und Wörter zu verwenden

Wenn Sie lernen, öfter einmal Nein zu sagen, hilft es Ihnen dabei, nur die Versprechungen zu machen, die Sie auch einhalten können; ein zentrales Element für Selbstbestimmtheit. Hier sind einige häufig verwendete „Nein sagen"-Phrasen, die in vielen Situationen funktionieren. Lernen Sie diese, üben Sie diese und benutzen Sie diese, wenn nötig:

- Danke, dass Sie mir diese Möglichkeit angeboten haben. Allerdings bin ich im Moment sehr eingebunden.
- Danke, dass Sie mich einbinden wollen, aber ich fürchte, ich muss dieses Mal das Angebot leider ablehnen.
- Danke, dass Sie sich an mich gewandt haben. Ich muss jetzt jedoch Nein sagen, weil ich bei einer anderen wichtigen Aufgabe stark eingebunden bin.
- Das klingt nach einem guten Plan. Kann ich das überprüfen und mich in ein paar Wochen bei Ihnen melden?
- Vielen Dank für Ihre Meinung. Wer sind die anderen Leute in der Gruppe? Hat jemand eine weitere Idee?
- Ich stimme Ihnen nicht zu. Sie haben jedoch ein Recht auf Ihre Meinung.
- Es steht Ihnen frei, mit mir nicht übereinzustimmen. Sie können mich jedoch nicht für meine Ansichten demütigen oder gar beleidigen.
- Ich fühle mich von Ihrem Tonfall (oder Ihrem Verhalten oder Ihrer Wortwahl) angegriffen.

Lernen Sie, effektiv mit Kritik umzugehen

Selbstsichere Menschen handhaben Kritik im richtigen Sinn. Sie nehmen konstruktive Kritik ernst, aber nicht persönlich, und verwenden sie zur Selbstverbesserung. Sie nehmen ungerechtfertigte Kritik an, indem sie diese einfach auf sich beruhen lassen. Barbra Streisands Mutter sagte über ihre Tochter (lange bevor ihre Tochter eine Ikone in der Film- und Musikindustrie wurde): *„Sie kann keine gute Sängerin sein, weil ihre Stimme nicht gut ist, und sie kann keine großartige Schauspielerin sein, weil sie nicht hübsch ist.“* Wir alle wissen heute, wie falsch diese Kritik war.

Barbra Streisand wusste seit sie ein Kind war, dass dies falsch war. Anstatt die Worte ihrer Mutter persönlich zu nehmen, entschied sie sich, ihre Gesangs- und Schauspielfähigkeiten zu verbessern. Entwickeln Sie wie Barbra Streisand Ihre Fähigkeiten im Umgang mit Kritik, um Ihre Selbstsicherheit zu verbessern und Ihr Selbstlernen zu stärken.

Es können hauptsächlich drei Arten von Kritik unterschieden werden:

1. Kritik aufgrund eines echten Fehlers
2. Konstruktive Kritik von Sympathisanten
3. Wertlose und grundlose Kritik

Schauen wir uns an, wie wir mit allen im Einzelnen umgehen können:

Kritik aufgrund eines echten Fehlers – Wir sind alle Menschen und es ist für uns natürlich, unvollkommen zu sein. Wir alle machen Fehler, und wenn jemand auf einen echten Fehler hinweist, müssen Sie ihn einfach akzeptieren und der Person dafür danken, dass sie sich die Mühe gemacht hat, Sie darauf aufmerksam zu machen. Danach müssen Sie natürlich versuchen, den Fehler zu korrigieren. Dies kann eine großartige Möglichkeit sein, das Selbstlernen zu stärken und Ihre Fähigkeiten zu verbessern.

Konstruktive Kritik von Sympathisanten – Die meisten Sympathisanten wollen nur das Beste für uns. Diese Personen werden nichts unversucht lassen (einschließlich scheinbar strengem Feedback), um Ihnen dabei zu helfen, Ihr Potenzial auszuschöpfen.

Kritik von Sympathisanten ist typischerweise konstruktiver Natur. Es ist unerlässlich, dass Sie diese als lohnenswert wahrnehmen und sie für die Selbstverbesserung und persönliche Entwicklung einsetzen. Es wäre fahrlässig, gut gemeinte Kritik zu ignorieren oder außer Acht zu lassen, insbesondere von den Menschen, die sich um Sie sorgen.

Wertlose und grundlose Kritik – Inmitten all der netten Menschen in Ihrem Leben werden Sie auch diejenigen finden, die es genießen, wie Sie sich in Ihren Beschwerden winden. Die Kritik dieser Personen soll Sie in der Regel davon abhalten, sich mehr anzustrengen und besser zu werden. Es ist am besten, solche Formen der Kritik zu ignorieren.

Erinnern Sie sich an die Worte von Ralph Waldo Emerson: *„Lassen Sie mich niemals den dummen Fehler machen, zu träumen, dass ich schikaniert werde, wenn ich jemandem widerspreche."* Nehmen Sie Kritik im richtigen Sinn entgegen und arbeiten Sie daran, sich selbst weiter zu verbessern.

Kapitel 7:

Instrumente zum Aufbau von Selbstsicherheit

Ihre Körpersprache und Körperhaltung sprechen Bände über Ihren Kommunikationsstil. Es ist möglich, das Selbstvertrauen und die Selbstsicherheit einer Person daran zu messen, wie sie sitzt, steht und gestikuliert. Zum Beispiel wird eine passive Frau normalerweise ihre Schultern hochziehen und mit gesenktem Kopf sitzen, ein Symbol für Unsicherheit und Scheu. Eine selbstsichere und selbstbewusste Dame wird jedoch ihre Schultern gerade halten und dem Redenden bei jeder Interaktion in die Augen schauen.

Nonverbale Hinweise, einschließlich der Körpersprache, spielen eine sehr wichtige Rolle in Ihrer Kommunikationstechnik. Ein aufmerksamer Beobachter kann das leistungsstärkere Team bei einem Meeting schnell erkennen, indem er lediglich die Körpersprache der Teilnehmer betrachtet. Die körpersprachlichen Hinweise sind universell und überschreiten geografische und kulturelle Grenzen. Zum Beispiel ist ein Lächeln ein Zeichen des Glücks, unabhängig davon, ob Sie aus Afrika, Amerika, Asien oder der fernen Antarktis stammen.

Interessanterweise verwendet das Tierreich ebenfalls die Körpersprache zur Kommunikation. Zum Beispiel erweitern Gorillas und Affen ihre Brust als eine Form der Dominanz gegenüber anderen Tieren. Das heißt, Tiere zeigen eine „sich öffnende" Geste in Form von ausgestreckten Armen und Flügeln, um Dominanz und Aggression zu zeigen.

Auf die gleiche Art und Weise verwenden Menschen diese „sich öffnende“ Geste, um Dominanz zu suggerieren. Hier ist ein klassisches Beispiel: Haben Sie einmal beobachtet, wie Läufer (insbesondere die Sieger eines Rennens) die Ziellinie mit ausgestreckten Armen und erhobenem Kopf überqueren? Das ist eine mitteilsame Geste, um ihre Dominanz und Kraft in diesem Rennen widerzuspiegeln. Beobachten Sie ebenfalls die Letzten im Rennen. Sie werden bemerken, dass ihre Hände an ihren Seiten herunterhängen und ihre Gesichter auf den Boden gerichtet sind.

Haben Sie gleichermaßen beobachten können, dass zwei Personen, die verschiedenen Leistungsebenen angehören, nebeneinanderstehen? Wenn Sie sich einen Moment Zeit zum Beobachten nehmen, werden Sie feststellen, dass die beiden Individuen die Körpersprache des anderen komplettieren. Wenn Sie zum Beispiel neben Ihrem Chef stehen, ist es sehr wahrscheinlich, dass Ihr Chef mit seinen Händen in den Hüften gestützt dasteht, während Sie mit Ihren Händen an Ihren Seiten stehen oder diese vor Ihnen gefaltet sind; einer dominant und der andere zurückhaltend.

Beobachten Sie beim nächsten Mal auch Ihren Chef und seinen Chef, und achten Sie darauf, wie die beiden nebeneinander stehen. Ihr Chef wird ausnahmslos Ihre Haltung einnehmen (Hände an den Seiten oder vorne gefaltet), und der Chef Ihres Chefs wird seine Hände in die Hüften stützen. Dies ist eine natürliche Haltung von Menschen (und Tieren), die sich ungleich zueinander fühlen.

Körperhaltungen für mehr Selbstsicherheit

Mehrere wissenschaftliche Studien haben gezeigt, dass Selbstbewusstsein und Selbstsicherheit mit zwei bestimmten Hormonen verbunden sind: Testosteron und Cortisol. Es wird angenommen, dass Testosteron mit dem Selbstbewusstsein zusammenhängt und Cortisol wie folgt mit Besorgnis und Stress zusammenhängt:

- Je höher der Testosteronspiegel, desto höher das Selbstbewusstsein.
- Je niedriger der Cortisolspiegel ist, desto geringer das Stress- und Besorgnislevel

Dieser Zusammenhang zwischen Testosteron und Selbstbewusstsein sowie Cortisol und Besorgnis besteht sowohl bei Männern als auch bei Frauen. Daher werden Ihr Selbstvertrauen und Ihre Selbstsicherheit gestärkt, wenn der Testosteronspiegel hoch und der Cortisolspiegel niedrig ist. Ein ausbalancierter Spiegel dieser beiden wichtigen Hormone in Ihrem Körper kann sich somit direkt auf Ihre Selbstsicherheit auswirken.

Die „Power-Pose" ist eine der Haltungen, von der angenommen wird, dass sie den Spiegel dieser beiden Hormone so ausgleicht, dass Selbstsicherheit und Selbstvertrauen gesteigert werden. Die Power-Pose ist eine „sich öffnende" Geste (die an die expansiven Gesten von Tieren und Menschen erinnert, die Dominanz und Kraft widerspiegeln), die viel Platz einnimmt und Ihren Körper durch das Ausbreiten Ihrer Arme und Beine optisch vergrößert.

Die Psychologie der Power-Pose basiert auf dem Konzept, dass unser Selbstvertrauen unser Auftreten bestimmt. Wenn Sie also die Power-Pose einnehmen, werden Sie Selbstvertrauen und Selbstsicherheit ausstrahlen. Amy Cuddy, eine der Befürworterinnen der Power-Pose, ist Professorin an der Harvard Business School. Sie sagt: *„Körper-Geist-Ansätze wie Power-Posing beruhen auf dem Körper, der Ihrem Gehirn auf einfachere und primitivere Weise vermittelt, dass Sie selbstsicher sind."*

Eine der beliebtesten Formen von Power-Posen, mit denen Selbstsicherheit aufgebaut wird, ist die Wonder Woman-Pose. In dieser Pose stehen Sie mit weit gespreizten Beinen, Händen in den Hüften und leicht nach oben geneigtem Kinn. Diese Haltung ist sehr nützlich, wenn Sie schnell ein gewisses Maß an Selbstsicherheit und Selbstvertrauen ausstrahlen möchten.

Ein Beispiel: Sie müssen vor einigen Führungskräften einen wichtigen Vortrag halten. Sie haben Ihre Präsentation gut vorbereitet. Sie haben wirklich hart dafür geübt und doch gibt es dieses unerklärliche Gefühl der Nervosität, welches den Spielverderber spielen könnte.

In solchen Zeiten kann die Wonder Woman-Power-Pose wahre Wunder bewirken. Nehmen Sie sich kurz vor der Präsentation ein paar Minuten Zeit für sich. Finden Sie einen ruhigen Ort. Schließen Sie die Augen, konzentrieren Sie sich auf Ihren Atem und balancieren Sie sich physisch aus. Nehmen Sie dann die Wonder Woman-Power-Pose ein und halten Sie diese einige Minuten lang. Atmen Sie ruhig und spüren Sie, wie das Selbstvertrauen in Ihrem Körper und Ihrem Geist ansteigt. Wenn Sie mit sich zufrieden sind, entspannen Sie sich und führen Sie eine erfolgreiche Präsentation.

Zusammengefasste Tipps für mehr Selbstsicherheit

Die folgenden Punkte stellen eine kurze Zusammenfassung der Tipps und Tricks dar, mit denen Sie Ihre Selbstsicherheit ausbauen können (mit dem Wissen aus diesem und den vorherigen Kapiteln):

- Sie und Ihre Meinungen sind genauso wertvoll wie die anderer.
- Seien Sie bei all Ihren Gesprächen und Interaktionen vernünftig und fair.
- Seien Sie in jeder Interaktion aufmerksam und präsent.
- Identifizieren und üben Sie den richtigen (oder natürlichen) Ton in allen unangenehmen Situationen.
- Beurteilen Sie nichts oder niemanden, da jeder das Recht auf seine eigene Meinung hat.
- Denken Sie daran, dass Ihre Präferenzen, Vorlieben und

Abneigungen sich möglicherweise stark von denen anderer Personen unterscheiden. Anders sein bedeutet nicht minderwertig zu sein.
- Nehmen Sie wertvolle Kritik ernst, aber nicht persönlich.
- Steigern Sie mit der Wonder Woman-Power-Pose den wichtigen Hormonspiegel, der mit Selbstvertrauen und Selbstsicherheit einhergeht.

Fazit

Im letzten Kapitel wurden einige der großartigen Vorteile von Selbstsicherheit aufgeführt, sodass Sie motiviert sein dürften, das Buch noch einmal zu lesen und die darin enthaltenen Übungen zu wiederholen, um Ihre Reise zur Steigerung Ihrer Selbstsicherheit anzutreten. Hier sind einige Vorteile, die für eine Steigerung der Selbstsicherheit sprechen:

Sie werden nicht als selbstverständlich angesehen **–** Ihre Fähigkeit, Ihre Ansichten und Meinungen selbstsicher darzulegen, stellt sicher, dass Sie niemand als selbstverständlich ansieht; ein häufiger Nachteil bei passiven Personen.

Ihre Popularität wird steigen **–** Ihre Fähigkeit, die Standpunkte und Meinungen anderer anzuhören und zu akzeptieren, wird mehr Menschen anziehen und Ihre Beliebtheit wird dadurch enorm ansteigen.

Ihre Kommunikationsfähigkeiten verbessern sich erheblich – Selbstsicherheit erfordert die Weiterentwicklung Ihrer Kommunikationsfähigkeiten. Wenn Sie neue Techniken erlernen und beherrschen, wird nicht nur Ihre Selbstsicherheit gesteigert, sondern auch Ihre Artikulationsfähigkeiten werden erheblich verbessert.

Alle Ihre Beziehungen werden sich weiterentwickeln **–** Wenn Sie Ihre Selbstsicherheit stärken, lernen Sie auch, die Gedanken und Gefühle Ihres Partners, Ihrer Kinder, Eltern, Kollegen, Teammitglieder und anderer zu respektieren und zu berücksichtigen. Diese positive Einstellung gegenüber anderen Menschen in Ihrem Leben wird sicherstellen, dass Ihre Beziehungen aufblühen und sich weiterentwickeln werden.

Sie werden lernen, Ihre Emotionen vernünftig zu managen – Selbstsicherheit bedeutet, dass Sie das Chaos verstehen, das unkontrollierte Emotionen in Ihrem Leben verursachen können. Dieses Wissen wird Ihnen helfen, zu lernen, wie Sie Ihre Emotionen kontrollieren und somit auch jede noch so stressige Situation mit Schwung bewältigen.

Nachdem Sie die Kraft der Selbstsicherheit und deren verschiedenen Vorteile kennen, ist es sinnvoll, das Buch erneut zu lesen und die Übungen erneut durchzuführen, damit Sie ein besseres Verständnis für die Planung Ihres Weges zum Ausbau Ihrer Selbstsicherheit erhalten. Legen Sie los und starten Sie direkt mit den entsprechenden Aktivitäten.

Außerdem kennen Sie bereits die tiefe Verbindung zwischen Selbstsicherheit, Selbstvertrauen und Selbstwertgefühl. Wenn Sie weitere Informationen und motivierende Tipps und Tricks erhalten möchten, um Selbstvertrauen, Selbstwertgefühl und Selbstsicherheit zu stärken, dann melden Sie sich gleich für unsere Mailingliste an.

Teil 3:

Selbstwertgefühl

Bewährte Techniken zur Entwicklung Ihres Selbstwertgefühls, Durchsetzungsvermögens und Selbstvertrauens in nur 60 Tagen

Kapitel 1:

Einführung – Was bedeutet Selbstwertgefühl?

Maya Angelou sagte einmal: *„Erfolg bedeutet, sich selbst zu mögen und zu mögen, was man tut und wie man es tut."* Wer sich selbst hochschätzt, handelt nach seinen eigenen Vorstellungen, um Erfolg im Leben zu haben.

Stellen Sie sich folgende Fragen:

- Sind Sie stolz auf sich?
- Mögen Sie sich so, wie Sie sind?
- Auf welche Ihrer Eigenschaften sind Sie besonders stolz?

Sollten Sie diese Fragen nicht mit Überzeugung beantworten können oder sollten Sie sich unwohl dabei fühlen, so ist es wahrscheinlich, dass Sie ein niedriges Selbstwertgefühl haben. Um verstehen zu können, warum viele von uns Probleme mit ihrem Selbstwertgefühl haben, müssen wir den Begriff zunächst definieren.

Was also bedeutet Selbstwertgefühl? Das Selbstwertgefühl spiegelt die Achtung und den Respekt, den man sich selbst gegenüber empfindet, wider. Eine Frau mit einem gesunden Niveau an Selbstwertgefühl ist nicht von äußeren Faktoren abhängig, um sich in ihrer Haut wohlzufühlen. Sie braucht keinen Ehemann, der ihr sagt, dass sie gut aussieht, intelligent ist oder dass sie eine gute Mutter ist. Sie braucht auch keinen Chef, der ihr sagt, dass sie gute Arbeit leistet.

Stattdessen ist sich eine Frau mit hohem Selbstwertgefühl ihrer Stärken und Schwächen deutlich bewusst. Ihre Stärken nimmt sie mit Stolz an, ihre Schwächen nimmt sie bescheiden hin, und sie ist selbstsicher, entschlossen und stolz auf ihre Fähigkeiten, ohne überheblich aufzutreten. Sie begreift, dass sie an ihren Schwächen arbeiten muss, und sie lässt andere gerne in den Genuss der Vorteile kommen, die ihre Stärken mit sich bringen.

Das Selbstwertgefühl stellt einen wesentlichen Teil unserer Identität dar, der für unser Lebensglück unerlässlich ist. Selbstachtung ist für eine freudvolle Lebenserfahrung notwendig. Haben Sie einmal Ihr Selbstwertgefühl erlangt, wird sich dies darin widerspiegeln, wie Sie das Leben mit seinen unzähligen Herausforderungen bewältigen. Der Begriff des Selbstwertgefühls kann auf viele Arten definierten werden. Dazu gehören:

- Das Gespür für Selbstwert, den Glauben an sich selbst und an die eigenen Fähigkeiten.
- Wie wohl oder unwohl Sie sich in Ihrer Haut oder mit Ihrem Selbstwert fühlen.
- Die Gesamteinschätzung Ihres emotionalen, körperlichen und geistigen Wohlbefindens.

Anzeichen für ein niedriges Selbstwertgefühl

Achten Sie auf diese Verhaltensweisen, die entweder unterschwellige oder offenkundige Anzeichen für ein niedriges Selbstwertgefühl sein können:

Sie entschuldigen sich ständig ohne Grund – Dieses Zeichen kann leicht übersehen oder als Höflichkeit fehlinterpretiert werden. Doch führen Sie sich noch einmal die Situationen vor Augen, in denen Sie sich unnötigerweise entschuldigt haben. Wenn Sie beispielsweise jemanden anrempeln, bitten Sie instinktiv um Entschuldigung, ohne darüber nachzudenken, wessen Schuld es war? Sollte das der Fall sein, könnten Sie Opfer eines niedrigen Selbstwertgefühls sein. Die Wurzeln Ihrer Entschuldigung könnten im falschen Glauben liegen, dass alles, was schiefgeht, Ihr eigenes Verschulden sei.

Sie führen alles auf glückliche Zufälle zurück – Wenn Sie im Büro befördert werden, sagen Sie dann „Ich hatte nur Glück" oder „Ich kann mich glücklich schätzen"? Falls ja, dann könnte das ein Hinweis darauf sein, dass Sie nicht wissen, wie man sich selbst Anerkennung für gute Resultate zollt – ein typisches Zeichen niedrigen Selbstwertgefühls. Sie glauben nicht, dass Ihnen Gutes widerfährt, weil Sie es wert sind, sondern weil es durch Glück oder göttliche Fügung vorherbestimmt sei. Der Glaube an das Göttliche ist nicht das Problem. Ihr Mangel an Selbstvertrauen ist der beunruhigende Gedanke. Wegen dieses Mangels an Selbstvertrauen nehmen Sie ungern Komplimente und Lob entgegen.

Sie tun, was Sie eigentlich nicht tun wollen – Zum Beispiel kaufen Sie Kleider, in denen Sie sich nicht wirklich wohl fühlen oder Sie renovieren Ihr Haus auf eine Art, die nicht Ihrem Geschmack entspricht, nur um den neuesten Trends nachzueifern. Fragen Sie sich einmal, wie oft Sie diese Bekannte, die Sie überhaupt nicht ausstehen können, schon auf Ihre Partys eingeladen haben. Denken Sie über diese Fragen und Entscheidungen nach und überlegen Sie, ob diese nicht vielleicht von dem Bedürfnis herrühren, anderen zu gefallen – dies ist ein weiteres Schlüsselelement, das auf ein niedriges Selbstwertgefühl hindeutet.

Sie meiden Konflikte und haben Angst, Fehler zu begehen – Wenn Sie Konflikten mit anderen am liebsten aus dem Wege gehen, könnte dies auf ein geringes Selbstwertgefühl hindeuten, da Sie Aussagen vermeiden, die Konfliktpotenzial bergen könnten. Sie hassen es, Fehler zu machen, weil Sie Angst vor dem Versagen haben.

Weitere häufige Anzeichen eines niedrigen Selbstwertgefühls sind Empfindlichkeit gegenüber Kritik, Rückzug aus der Gesellschaft, Feindseligkeit (um üblicherweise das Gefühl niedrigen Selbstwertes zu verbergen) und übermäßige Fokussierung auf persönliche Probleme. Ein geringes Selbstwertgefühl kann sich auch anhand körperlicher Symptome wie häufige Kopfschmerzen, Erschöpfung und Schlaflosigkeit äußern.

Anzeichen für ein hohes Selbstwertgefühl

Es folgen einige Anzeichen für ein hohes Selbstwertgefühl:
Sie haben keine Angst davor, Fehler zu machen.

- Es fällt Ihnen nicht schwer, Komplimente anzunehmen, ohne dabei überheblich zu wirken.
- Sie sind Kritik gegenüber nicht überempfindlich.
- Sie können Risiken eingehen.
- Sie lassen es nicht zu, dass andere Sie und Ihre Fähigkeiten missachten oder beleidigen.

Wie kommt es zu einem unzureichenden Selbstwertgefühl bei Frauen?

Die Grundsteine für unser Selbstwertgefühl werden in den frühesten Entwicklungsstufen gelegt. Noch bevor unser Gehirn ein komplexes kognitives System entwickelt, sind wir durch den Umgang mit unseren Hauptbezugspersonen Gefühlen der Scham, der Schuld sowie des Stolzes ausgesetzt. Dieses früh angelegte Fundament hat Einfluss auf die Art und Weise, wie wir im Erwachsenenalter von uns denken.

Außerdem scheinen Mädchen im Nachteil zu sein, was das Selbstwertgefühl angeht, denn unsere Gesellschaft „erwartet“ von Mädchen, sich „anständig“ zu benehmen, während Jungs „nun mal Jungs“ sind, deren Fehlverhalten als ein unvermeidlicher, natürlicher Trieb angesehen wird. Daher erleben Mädchen ein Versagen oder eine Zurückweisung viel intensiver als Jungen. Mädchen beschäftigen sich mit ihren Scham- und Schuldgefühlen über einen langen Zeitraum, womit ihre niedrigen Selbstwertgefühle noch verstärkt werden.

Hohe Erwartungen (wie die nachfolgend aufgelisteten) können ein geringes Selbstwertgefühl bei Frauen hervorrufen:

- Von Mädchen wird erwartet, dass sie sich aus Raufereien heraushalten; diese sind Jungen vorbehalten.

- Von Mädchen wird erwartet, dass sie jegliche aggressive Verhaltensweisen vermeiden, was zur Folge hat, dass sie abschätzig behandelt werden, wenn sie sich für kämpferische Sportarten entscheiden.

- Man erwartet von ihnen, dass sie sich anständig verhalten, um für die Ehe bereit zu sein – oft auf Kosten ihrer Wünsche und Träume.

- Frauen sollen in jeder Hinsicht „perfekt" sein. Viele Frauen stoßen ab, was an ihnen mit gesellschaftlichen Erwartungen nicht im Einklang steht, um die bizarren und äußerst unsinnigen Forderungen nach Unfehlbarkeit zu erfüllen, was zu einem Mangel an Selbstachtung führt.

- In der heutigen Zeit schließt Perfektion auch den „perfekten Körper" ein. Die sozialen Medien und die Druckmedien strotzen nur so vor Filmstars, deren „perfekt" gestraffte Figuren und makellose Gesichter durchschnittliche Frauen dazu antreiben, nach diesen unvernünftigen Idealen zu streben. Im Marketing nützt man dieses Verlangen aus, um Frauen unrealistische Träume zu verkaufen. Das Selbstwertgefühl hat viel einzustecken, wenn diese Träume nicht erreicht werden.

- Und wenn es einige Frauen doch schaffen, mit diesen Klischees zu brechen und erfolgreich zu sein, erwartet man von ihnen, ihre Leistungen herunterzuspielen, sich in Bescheidenheit zu üben und „nicht damit zu prahlen".

- Frauen, die mit Stolz von ihren Qualifikationen sprechen, werden als Angeberinnen bezeichnet, wohingegen Männer, die sich derselben Qualifikationen rühmen, als „selbstbewusste Erfolgsmenschen" bezeichnet werden.

All diese auf Negativität ausgerichteten Gründe befeuern die Verunsicherung der Frauen, und die meisten von ihnen fürchten sich vor den ihnen innewohnenden Fähigkeiten, oder sind sich dieser nicht einmal bewusst. In Selbstgesprächen konzentrieren sie sich nur auf ihre Schwächen und Unfähigkeiten, und verschwenden dabei wenige oder gar keine Gedanken an ihre eigentlichen Kräfte und Stärken. Dies führt letztendlich zu einem geringen Selbstwertgefühl.

Die Bedeutung des Selbstwertgefühls

Ein hohes Selbstwertgefühl wirkt aufbauend, ein niedriges Selbstwertgefühl belastet dagegen. Mit einem hohen Selbstwertgefühl können Sie Ihr höchstes Potenzial erreichen und ein Leben nach Ihren Wünschen führen. Leute mit einem hohen Selbstwertgefühl sind sich selbstverständlich dessen bewusst, dass dies nicht bedeutet, andere dafür verletzen zu müssen. Es bedeutet lediglich, dass man die Zügel in der Hand hat.

Ein hohes Selbstwertgefühl geht mit hohem Selbstvertrauen und Durchsetzungsvermögen einher. Der Glaube an Ihre Fähigkeiten und die Akzeptanz Ihrer Schwächen verhelfen Ihnen zu Selbstvertrauen und dazu, sich selbst zu behaupten, ohne sich dabei arrogant zu fühlen oder zum Opfer gemacht zu werden.

Selbstfindungsfragen zur Einschätzung Ihres derzeitigen Selbstwertgefühls

Nach der ehrlichen Beantwortung der folgenden Fragen werden Sie eine recht gute Vorstellung von Ihrem aktuellen Selbstwertgefühl erhalten. Von diesem Punkt aus kann Ihre Reise zu einem gesunden Selbstwertgefühl beginnen.

- Finden Sie sich langweilig?
- Finden Sie, dass Sie immer alles vermasseln?
- Glauben Sie, dass Ihre Abwesenheit auf Partys oder anderen gesellschaftlichen Zusammenkünften auffiele?
- Denken Sie, dass Ihnen nahestehende Menschen kein Vertrauen in Ihre Fähigkeiten haben?
- Halten Sie sich für unwürdig?
- Halten Sie sich für einen vollkommenen Versager?
- Glauben Sie, dass Sie sich mit den Fähigkeiten anderer in jeder Situation messen können?
- Glauben Sie, dass Sie Ihr höchstes Potenzial erreichen können?
- Denken Sie, dass Sie es verdienen, geliebt zu werden?

Kapitel 2:

Zur Förderung des Selbstwertgefühls

„Die Macht des Selbstwertgefühls tragen wir alle in uns... Das Selbstwertgefühl ist die Erfahrung, dass wir dem Leben und seinen Anforderungen angemessen sind", sagte Nathaniel Branden. Er war ein enger Vertrauter der vielgefeierten Schriftstellerin Ayn Rand und machte sich seinerseits einen Namen als angesehener Psychotherapeut. Branden sprach in seinem berühmten Buch *Die 6 Säulen des Selbstwertgefühls* ausführlich über das Selbstwertgefühl sowie dessen sechs wichtigsten Bestandteile.

Die sechs Säulen des Selbstwertgefühls lauten nach Nathaniel Branden:

1. Bewusst leben
2. Sich selbst annehmen
3. Eigenverantwortlich leben
4. Sich selbstsicher behaupten
5. Zielgerichtet leben
6. Persönliche Integrität

Betrachten wir diese Säulen im Detail.

Bewusst leben

Wie oft hat Sie schon das Gefühl beschlichen, dass Sie durch das Leben wandeln, ohne zu wissen, wie Sie an den Punkt gelangt sind, wo Sie jetzt stehen, oder wohin Sie die Zukunft führt? Sie gehen jeden Tag wie ein Automat durchs Leben. Sie essen, schlafen, gehen Ihrem Alltag und anderen Erledigungen nach, ohne sich Ihrer Gefühle und Gedanken bewusst zu sein. So ergeht es den meisten modernen Frauen, wenn sie sich bemühen, Karriere, Haushalt und viele andere gesellschaftliche Erwartungen unter einen Hut zu bringen.

Laotse sagte: *„Bist du deprimiert, lebst du in der Vergangenheit. Bist du ängstlich, lebst du in der Zukunft. Bist du im Frieden mit dir, lebst du in der Gegenwart".* Bewusstes Leben hilft Ihnen dabei, im Augenblick zu leben und damit das Leben bedeutungsvoller als zuvor zu erfahren.

Ein Schlüsselelement des bewussten Lebens ist es, sich seiner Gefühle und Emotionen gewahr zu werden.

Nehmen Sie die Zubereitung des Abendessens für Ihre Familie als Beispiel. Konzentrieren Sie sich heute auf Ihre Gedanken und Gefühle, während Ihr Körper mit dem Kochen beschäftigt ist.

Sind Sie in Gedanken beim Kochen, den Gerüchen, den verwendeten Zutaten, beim Abmessen dieser Zutaten, bei der Konsistenz des Gerichtes etc.? Oder denken Sie an ein Ereignis im Büro, oder an eine bevorstehende Diskussion mit Ihrem Partner, sobald er nach Hause kommt? Oder lassen Sie Ihre Gedanken einfach nur schweifen und Sie haben keine Ahnung, woran Sie denken? Konzentrieren Sie sich nun auf die Emotionen, die Sie beim Kochen haben. Sind sie zufrieden? Traurig? Verärgert? Oder fühlen Sie gerade nichts Besonderes?

Das bewusste Kochen verlangt von Ihnen, Ihre Gedanken, Gefühle und Ihr ganzes Sein auf diese eine Tätigkeit zu konzentrieren. Ihr Selbstbewusstsein nimmt zu, wenn Sie sich jeder einzelnen Tätigkeit bewusst hingeben. Wenn Sie sich jedes Elements bewusst sind, das Ihren Körper, Verstand und Geist ausfüllt, werden Sie Dinge sehen, die bislang unsichtbar waren, weil

Sie sich nicht darauf konzentriert haben. Mit dieser erweiterten Sichtweise sind Sie in der Lage, schwierige Situationen zukünftig viel besser zu meistern.

Das bewusste Leben stellt den wichtigsten Schritt zur Steigerung des Selbstbewusstseins dar, und mit gesteigertem Selbstbewusstsein gehen Selbstverbesserung und ein erhöhtes Selbstwertgefühl einher.

Sich selbst annehmen

„Ein anderer sein zu wollen, ist eine Verschwendung der Person, die man ist“, meinte Marilyn Monroe, und die Beherzigung dieser Wahrheit kann eine positive Auswirkung auf das Leben jeder Frau haben. Sie sind einzigartig, schön und genügen sich selbst. Es ist unwürdig und sinnlos, Dingen nachzujagen, die dieser Einzigartigkeit abträglich sind.

Wir haben gesehen, in welch beträchtlichem Maße sich Ihr Selbstbewusstsein steigert, wenn Sie bewusst leben. Sich seiner selbst bewusst zu sein bedeutet, seine Stärken, Fähigkeiten und Schwächen zu kennen. Selbstannahme bedeutet schlichtweg, dass man mit seinem gegenwärtigen Zustand zufrieden ist.

Sie kochen also gut und Ihre Familie schätzt jedes Gericht, das Sie zaubern. Selbstannahme bedeutet, dass man diese Eigenschaft mit Stolz, aber ohne Arroganz akzeptiert, was sich nicht schwierig gestalten sollte. Nun stellen Sie sich beispielsweise jemanden mit einem schlechten Sinn für Mode vor. In diesem Falle besteht Selbstannahme darin, dass man diese Schwäche ohne Schuldgefühle akzeptiert.

Selbstakzeptanz heißt nicht, dass man nicht an der Überwindung seiner Schwächen arbeitet. Genau genommen bedeutet Selbstannahme weder, dass Ihnen eine Eigenschaft gefällt, noch dass sie Ihnen missfällt. Sie bedeutet lediglich, dass Sie sich mit Ihrem derzeitigen Zustand wohlfühlen. Selbstannahme fördert die Selbstliebe, und wenn man sich selbst liebt, braucht man keinen anderen, der einen liebt und ergänzt. Dieser Aspekt des Ganzseins trägt erheblich zu Ihrem Selbstwertgefühl bei.

Wie Ayn Rand sagte: *„Um ›ich liebe dich‹ zu sagen, muss man bereit sein, ›ich‹ zu sagen!"* Wenn Sie sich so annehmen, wie Sie sind, können Sie auch andere so akzeptieren, wie sie sind, was Ihnen ermöglichen wird, ein harmonischeres Leben zu führen.

Eigenverantwortlich leben

Eigenverantwortung ist ein Zeichen von Stärke. Nur starke Menschen übernehmen Verantwortung für sich selbst sowie ihr Leben. Mittelmäßigkeit führt dazu, dass man anderen die Schuld zuschiebt, wohingegen Spitzenleistungen Sie dazu antreiben, die Kontrolle über Ihr Leben zu übernehmen.

Dr. Wayne Dyer, einer der einflussreichsten Denker unserer Zeit, sagte: *„Jede Ihrer Taten beruht auf den Entscheidungen, die Sie treffen. Weder Ihre Eltern, noch vergangene Beziehungen, noch Ihr Job, die Wirtschaft, das Wetter, ein Streit, noch Ihr Alter sind schuld. Sie und nur Sie allein sind für jede Ihrer Entscheidungen verantwortlich."*

Sie haben gelernt, wie man ein bewusstes Leben führt. Sie haben sich die Kunst der Selbstakzeptanz angeeignet. Der nächste Schritt zu einem verbesserten Selbstwertgefühl besteht nun darin, dass Sie Verantwortung für Ihr Leben übernehmen und selbst das Ruder in die Hand nehmen. Das Glück liegt in Ihren Händen. Wenn Sie nun betrübt sind, dann haben Sie sich dafür entschieden, betrübt zu sein. Denn es ist möglich, selbst in den dunkelsten Stunden Positives zu finden.

Nach Susan B. Anthony ist ein Zusatzartikel zur amerikanischen Verfassung benannt. Sie war eine der Pionierinnen, die für das Frauenwahlrecht in den USA kämpften. Sie übernahm für die Fehler, die Sie im Leben beging, Verantwortung. Sie glaubte fest an Ihr Wahlrecht und wartete nicht darauf, dass sich die Männer für Sie einsetzten. Auch wenn Susan B. Anthony die positiven Auswirkungen Ihres Kampfes nicht mehr erlebte, ist ihr Name ins Gestein der amerikanischen Geschichte gemeißelt, denn der 19. Verfassungszusatz, der amerikanischen Frauen das Wahlrecht garantiert, ist nunmehr als Susan-B.-Anthony-Amendment bekannt.

Es ist wichtig, dass Sie sich diese starken Frauen als Beispiel nehmen und Verantwortung für Ihr Leben übernehmen. Wenn Sie beispielsweise Probleme mit Ihrem Sinn für Mode haben, dann fragen Sie jemanden um Rat, in den Sie Ihr Vertrauen setzen. Sollte es diesen Jemand nicht geben, *können Sie auch Kurse zu diesem Thema besuchen, wo Sie diese Fertigkeit erlernen können.* Es ist ausschlaggebend für das Übernehmen von Eigenverantwortung, anderen nicht länger die Schuld für Ihre Probleme zuzuschieben. Finden Sie stattdessen Wege, wie Sie Ihre Probleme überwinden können.

Sich selbstsicher behaupten

Durchsetzungsvermögen (oder Selbstbehauptung) stellt ein entscheidendes Charaktermerkmal dar, das Sie dabei unterstützt, sich in Auseinandersetzungen zu behaupten und Pluspunkte am Verhandlungstisch zu sammeln. Durchsetzungsvermögen ist ein äußerlich wahrnehmbares Merkmal, das sowohl Ihre Stärken als auch Ihre Demut widerspiegelt, was die Akzeptanz Ihrer Schwächen anbelangt.

Selbstbehauptung schließt allerdings noch mehr als das soeben Erwähnte ein. Selbstbehauptung erfordert darüber hinaus, dass Sie sich selbst treu bleiben. Sie erfordert, dass Sie Ihren Charakter nach außen tragen. Die Selbstbehauptung steht im direkten Gegensatz zu der Fassade, die Sie Ihrer Umwelt zeigen, während Sie innerlich aber eine ganz andere Persönlichkeit sind. Sie ist durch Authentizität charakterisiert. Selbstbehauptung bedingt zudem, dass Sie Ihre Träume und Sehnsüchte nach Ihren eigenen Wünschen ausleben, ohne dabei anderen gefallen zu wollen.

Dr. Elizabeth Blackwell war die erste Frau Amerikas, die einen Abschluss an einer medizinischen Hochschule erlangte. Hätte sie nicht über Selbstbehauptung verfügt, würden wir womöglich heute noch darauf warten, dass Frauen zum Studium an einer medizinischen Hochschule zugelassen werden, um Ihren Abschluss zu machen und als Ärztinnen zu praktizieren.

„Der tiefgreifendste Angriff, der tiefgreifendste Schaden, den wir uns zufügen können, besteht darin, den Mut und Respekt zu missachten, die zur aufrichtigen und behutsamen Betrachtung unserer selbst notwendig sind", sagte die aus den USA stammende tibetische Buddhistin und buddhistische Nonne Pema Chodron.

Leben Sie bewusst, nehmen Sie sich an, übernehmen Sie Verantwortung und üben Sie Selbstbehauptung, um Ihr Selbstvertrauen langsam, aber sicher auf eine Weise aufzubauen, dass Sie seiner niemals verlustig gehen. Selbstbehauptung verlangt außerdem, dass Sie Ihre Meinung frei äußern, sei sie noch so unpopulär und umstritten.

Wenn Sie zum Beispiel von Ihren Kindern von klein auf Disziplin verlangen, dann werden Sie von Zeit zu Zeit Maßnahmen ergreifen müssen, die Sie bei Ihren Kinder nicht beliebt machen. Für eine Mutter ist eine solche Situation tatsächlich schwierig zu akzeptieren. Befindet sich Ihr Durchsetzungsvermögen jedoch auf einem gesunden Niveau, so finden Sie auch den Mut, mit diesem unangenehmen, aber vorübergehenden Zustand der Maßregelung umzugehen. Ihre Kinder werden es Ihnen eines Tages danken. Für den Augenblick wäre es allerdings vonnöten, dass Sie sich selbst behaupten, um das Beste für Ihre Kinder zu tun.

Zielgerichtet leben

John F. Kennedy sagte einst: *„Ohne Ziel und Zweck sind alle Anstrengungen und aller Mut vergebens."* Rufen Sie sich die glorreichsten Momente Ihres Lebens ins Gedächtnis zurück. Versuchen Sie, sich daran zu erinnern, weshalb diese Momente so glorreich waren, dass sich die Gefühle, die Sie dabei empfanden, so tief in Ihre Psyche eingebrannt haben. Hierbei sollte Ihnen auffallen, dass es sich wahrscheinlich um Augenblicke handelte, in denen Sie ein zuvor festgelegtes Ziel erreicht haben.

Ob es sich nun um Ihr mit Bravour abgeschlossenes Hochschulstudium, die heiß ersehnte Beförderung oder um die Hilfe, die Sie Ihrer Mutter in Zeiten der Krankheit leisteten, handelt – Ziele steigern die Freude am Ergebnis. Ein zielloses Leben ist wie ein führerloses Schiff, das dorthin treibt, wohin es die Elemente nun einmal tragen.

Ihr Leben durchläuft einen Paradigmenwechsel, wenn Sie die Bestimmung kennen, die Sie leitet und antreibt. Laut dem vom berühmten Hirnforscher Paul MacLean veröffentlichten Triune-Brain-Konzept besteht das menschliche Gehirn aus drei Teilen, nämlich aus dem protoreptilischen (instinktiven) Teil, dem paläomammalischen (emotionalen) Teil und dem neomammalischen (denkenden bzw. logischen) Teil.

Der protoreptilische Teil des Gehirns ist etwa für das Territorial- und Aggressionsverhalten zuständig. Der paläomammalische Teil steuert die Nahrungsaufnahme und Fortpflanzung. Der neomammalische oder „denkende" Teil ist für komplexe Konzepte, Wahrnehmung, Planung etc. zuständig. In eben diesem neomammalischen Teil des Gehirns steckt das Bewusstsein darüber, dass Sie für ein erfülltes Leben einen Sinn und Zweck benötigen.

Elizabeth Gilbert, die Autorin des internationalen Bestsellers *Eat, Pray, Love,* entdeckte Ihren Lebenszweck in der Schriftstellerei, als Sie sich auf Reisen von einer schmerzhaften Scheidung erholte. Auf der Suche nach Genuss, Hingabe und Ausgeglichenheit bereiste sie Italien, Indien und Bali. Diese Reisen halfen ihr, ihre Bestimmung zu finden, die ihr wiederum zu Glück und Erfolg verhalf. Zuvor führte sie ein ganz normales Leben und war der Auffassung, mit ihrer Ehe zufrieden zu sein.

Erst wenn Sie Ihren Geist auf das Konzept eines zielgerichteten Lebens einstellen, können Sie ein bedeutungsvolles Leben führen und jeden Augenblick in seiner Erhabenheit erleben. Ein Leben mit einer Bestimmung bewahrt Sie davor, gedankenlos dorthin zu treiben, wohin Sie die vielfältigen Lebensumstände zufällig führen. Nehmen Sie Stift und Papier in die Hand und beantworten Sie die Selbsteinschätzungsfragen am Ende dieses Kapitels, um die wahre Bestimmung Ihres Lebens zu finden.

Ihr Lebenszweck sollte auf Ihren Träumen und Sehnsüchten beruhen, und nicht auf jenen Ihrer Eltern, Lehrer, Vorgesetzen oder Ihres Ehegatten. Haben Sie Ihren vorrangigen Lebenszweck einmal definiert, sollten Sie ihn in leicht messbare, zeitgebundene Ziele aufgliedern, damit Sie die Übersicht über Ihre Fortschritte behalten und bei Bedarf angemessene Änderungen vornehmen können.

Persönliche Integrität

Sie erkennen bereits die Fortschritte, die Sie bei der Entwicklung Ihres Selbstvertrauens gemacht haben. Den Anfang haben Sie mit einer bewussten Lebensführung gemacht, anschließend haben Sie gelernt, sich mit all Ihren Makeln und Fehlern anzunehmen und Eigenverantwortung für Ihr Leben sowie Ihre Entscheidungen zu übernehmen. Sie haben die Bedeutung der Selbstbehauptung bzw. des Durchsetzungsvermögens begriffen und schließlich begonnen, Ihr weiteres Leben mit einem tiefgreifenden Sinn für Ziel und Zweck zu bestreiten.

Wenn Sie die bereits beschriebenen fünf Säulen abarbeiten, werden Ihnen die Vorteile der Entwicklung von Selbstvertrauen bewusst, und zwar noch während Sie Ihr Selbstbewusstsein stärken und Ihr Leben nach Ihren Wünschen ausrichten. Die sechste und letzte Säule, nämlich die „persönliche Integrität", soll Ihr Selbstwertgefühl zusätzlich in erheblichem Maße stärken.

Persönliche Integrität setzt voraus, dass Sie Ihr Leben auf Grundlage der Werte und Grundsätze, die Sie sich als Leitlinie gesetzt haben, führen. Je mehr Ihre Lebensführung mit Ihren persönlichen Werten im Einklang steht, desto mehr steigert sich Ihr Selbstwertgefühl. Ein Leben, das mit Ihren Werten im Einklang ist, stärkt den Glauben an sich selbst und trägt zu einem erfüllten und sinnvollen Leben bei. So bewältigen Sie ganz selbstständig Herausforderungen, was wiederum einen direkten und positiven Einfluss auf Ihr Selbstwertgefühl ausübt.

Hätte Mutter Teresa nicht über den tiefen Sinn für persönliche Integrität verfügt, um für das einzustehen, woran sie glaubte, hätte sie niemals zum Hafen für die ärmsten Menschen in Indien werden können. Wenn sie auch einen großen Teil ihres Lebens der benachteiligten Bevölkerung Indiens widmete, so blieb ihr Werk in den übrigen Erdteilen doch nicht unbeachtet. Und so wurde ihr im Jahre 1979 der Friedensnobelpreis verliehen!

Um sich in persönlicher Integrität zu üben, müssen Sie wohl oder übel in Kauf nehmen, hin und wieder als „die Unbeliebte" zu gelten. Wenn Sie beispielsweise bis zum Ende des Tages ein Projekt fertigzustellen haben, müssen Sie womöglich auf das gemeinsame Mittagessen mit Ihren Arbeitskollegen verzichten, da dies Ihre Arbeit verzögern würde. Dies mag zwar mit Ihrer persönlichen Integrität im Einklang stehen, könnte aber auch dazu führen, dass Sie unter Ihren Kollegen als unbeliebt gelten und zukünftig weniger oft mit Einladungen welcher Art auch immer rechnen müssen.

Der Weg zu persönlicher Integrität kann durchaus ein einsamer sein. Allerdings stärkt diese letzte Säule Ihr Selbstvertrauen in beträchtlichem Maße.

Beim Selbstwertgefühl geht es nicht um Perfektion. Es geht schlichtweg darum, sich selbst mit seinen Stärken und Schwächen zu akzeptieren. Beim Selbstwertgefühl geht es darum, sowohl eine bestimmte Situation als auch sein Unvermögen, mit dieser Situation umgehen zu können, zu akzeptieren. In diesem Falle liegt es an Ihnen, sich – wenn möglich – Hilfe zu suchen oder eine Entscheidung eingedenk Ihrer Fähigkeiten zu treffen. Das Selbstwertgefühl beruht nicht auf Ihrem Vertrauen in Ihre Fertigkeiten, sondern auf Ihrer Fähigkeit, sich neue Kenntnisse zur Selbstverbesserung anzueignen. Wenn Sie kontinuierlich dazulernen wollen, müssen Sie Ihre Komfortzone verlassen. Je mehr Sie sich aneignen, desto mehr Selbstvertrauen bauen Sie auf. Dies hilft Ihnen wiederum bei der Entwicklung Ihres Selbstwertgefühls.

Zur Selbsteinschätzung

Beantworten Sie die jeweiligen Fragen zu den sechs Komponenten des Selbstwertgefühls. Diese Übung soll dazu dienen, Ihren derzeitigen Stand der Dinge in Bezug auf die sechs Säulen einzuschätzen. Die aus diesen Selbsteinschätzungsübungen gewonnenen Erkenntnisse können Sie dazu nutzen, einen effizienten Plan zur Entwicklung Ihres Selbstwertgefühls zu erstellen.

Fragen zur Selbsteinschätzung bewusster Lebensführung

1. Haben Sie sich bewusst für Ihre Karriere entschieden oder haben Sie sich nur dafür entschieden, weil sich gerade die Gelegenheit dazu geboten hat?

2. Erledigen Sie bestimmte Aufgaben nur, weil Sie Ihnen aufgetragen werden, oder befassen Sie sich nur mit Aufgaben, die Sie gerne erledigen?
3. Widmen Sie sich bestimmten Beschäftigungen nur, um Ihre Zeit totzuschlagen, oder geben Sie sich diesen Tätigkeiten hin, weil Sie Ihnen Glück und Freude bereiten?
4. Sind Sie sich des Fortschreitens der Zeit bewusst oder wandeln Sie einfach so durch den Tag, ohne recht zu wissen, womit Sie Ihre Zeit ausfüllen sollen?
5. Konzentrieren Sie sich auf jede Tätigkeit und begreifen bzw. schätzen Sie es, zu Ihrer Weiterentwicklung beizutragen, oder erledigen Sie jede Aufgabe unbewusst und gedankenlos?
6. Haben Sie Ihre finanziellen Ausgaben im Blick oder leben Sie einfach von einem Zahltag zum nächsten?

Fragen zur Selbsteinschätzung von Selbstakzeptanz

1. Führen Sie Ihr Leben nach Ihren eigenen Wünschen oder nach den Wünschen anderer?
2. Können Sie sich leicht selbst verzeihen?
3. Lieben Sie sich insofern als Sie begreifen, dass Sie auf sich selbst achten sollten?
4. Akzeptieren Sie sich insofern als Sie begreifen, dass Sie sich für ein erfülltes Leben gesund ernähren, Sport treiben und ausreichend erholen sollten?
5. Finden Sie sich mit den Fehlern Ihrer Vergangenheit ab, indem Sie sie aus Ihrem Leben verbannen?
6. Akzeptieren Sie sich insofern als Sie sich auf gewisse Ziele, die Sie erreichen können, festlegen, bzw. als Sie

sich bestimmte Ziele, die für Sie unerreichbar sind, aus dem Kopf schlagen?

7. Nehmen Sie sich ausreichend Zeit für sich selbst?
8. Fühlen Sie sich auch allein wohl?

Fragen zur Selbsteinschätzung von Eigenverantwortung

1. Glauben Sie, dass Sie immer Ihr Bestes geben? Geben Sie Gründe an, falls dies nicht zutrifft.
2. Glauben Sie, dass Sie zu Ihrer Selbstverbesserung hohe Anforderungen an sich stellen? Falls nein, warum nicht?
3. Gehen Sie jede Aufgabe mit dem Gefühl „Das ist unmöglich zu schaffen!" an? Falls ja, warum?
4. Glauben Sie, dass Sie genügend Zeit und Mühe aufwenden, um all Ihre Aufgaben bestmöglich zu erfüllen? Falls nein, warum nicht?
5. Glauben Sie, dass Sie ausreichend gegen etwaige Ablenkungen und Verlockungen gefeit sind? Falls nein, warum nicht?
6. Glauben Sie, dass Sie die Mittel und Ressourcen, die Ihnen zur Verfügung stehen, optimal nutzen? Falls nein, warum nicht?
7. Suchen Sie Hilfe, wenn Sie sie brauchen? Falls nein, warum nicht?
8. Prüfen Sie Ihre getane Arbeit, um Fehler möglichst auszuschließen? Falls nein, warum nicht?
9. Stellen Sie Recherchen an, um die geeignetsten Lösungen für die verschiedenen Probleme Ihres Lebens zu finden? Falls nein, warum nicht?

Fragen zur Selbsteinschätzung des Durchsetzungsvermögens

1. Sagen Sie oft Ja, auch wenn Sie eigentlich Nein sagen wollen?
2. Verbergen Sie Ihre Gedanken und Gefühle, wenn es sich bei Ihrem Gesprächspartner um einen Fremden handelt?
3. Schrecken Sie davor zurück, negatives Feedback zu geben, weil Sie Angst davor haben, als unbeliebt zu gelten?
4. Glauben Sie, dass Sie sich Unannehmlichkeiten ersparen, wenn Sie etwas Nettes sagen, auch wenn es eigentlich nicht zutrifft?
5. Glauben Sie, dass Sie sich durch Ihre Bemühungen, andere zufriedenzustellen, selbst widersprechen?
6. Fühlen Sie sich in Gesprächen von Angesicht zu Angesicht wohl?

Fragen zur Selbsteinschätzung zielgerichteter Lebensführung

1. Glauben Sie, dass Sie Ihr Lebensziel selbst gewählt oder von Ihren Eltern übernommen haben?
2. Können Sie Ihren bisherigen sowie Ihren künftigen Lebensweg genau beschreiben?
3. Beruht Ihre Selbstwahrnehmung darauf, wie andere Sie wahrnehmen? Halten Sie sich zum Beispiel für eine „schlechte Köchin“, weil Sie Ihre Mutter für eine schlechte Köchin hielt? Oder glauben Sie, dass Sie „schlecht“ in Mathe sind, weil das die Meinung Ihres Lehrers war?
4. Glauben Sie an den Lebensweg, den Sie beschritten haben?

5. Kennen Sie Ihren Lebenszweck?
6. Wo sehen Sie sich in fünf oder zehn Jahren? Haben Sie Ihre Ziele festgelegt?
7. Sind Sie über Ihre Fortschritte auf dem Laufenden?

Fragen zur Selbsteinschätzung persönlicher Integrität

1. Glauben Sie, dass man in der heutigen Gesellschaft lügen und betrügen muss, um erfolgreich zu sein?
2. Glauben Sie, dass Menschen, die weniger auf Moral und Ethik achten, erfolgreicher als andere sind?
3. Sind Sie mit Ihrer Einstellung zu Moral und persönlicher Integrität zufrieden?
4. Halten Sie es für vertretbar, eine falsche Adresse anzugeben, damit Ihre Kinder in eine gute Schule aufgenommen werden?
5. Glauben Sie, dass Sie genügend Anstrengungen unternehmen, um Ihren Kindern persönliche Integrität beizubringen?
6. Belügen Sie oft Freunde und Familie?
7. Belügen Sie oft Ihre Vorgesetzten und Arbeitskollegen?
8. „Übertreiben“ Sie bei Ihren Kostenabrechnungen für Geschäftsreisen ins Ausland?

Kapitel 3:

Gewohnheiten und wie Sie sie zu Ihren Gunsten einsetzen

Charles Duhigg ist Bestsellerautor und Pulitzerpreisträger. Eines seiner berühmtesten Werke trägt den Titel *Die Macht der Gewohnheit.* In seinem Buch schreibt Charles Duhigg ausführlich über die sogenannte Gewohnheitsschleife und darüber, wie sich jede Gewohnheit in diese Schleife einfügen lässt. Die Schleife umfasst drei Bestandteile, nämlich:

1. den Auslösereiz,
2. die Routine,
3. die Belohnung.

In diesem Kapitel werden Ihnen Einsichten in die drei Bestandteile der Gewohnheitsschleife geboten. Sie werden außerdem erfahren, wie Sie schlechte, alte Angewohnheiten loswerden und diese mit neuen und guten ersetzen können. Werfen wir einen Blick auf die jeweiligen Bestandteile der Gewohnheitsschleife.

Der Auslösereiz

Der Auslösereiz stellt den Auslöser dar, der Ihr Gehirn in den Automatikmodus versetzt und eine bestimmte Routine einleitet. Der Auslösereiz gibt den Anstoß zu gewohnheitsmäßigem Verhalten und zur Routine. Der Auslöser einer Gewohnheit kann eine Person, ein Ort, ein Gefühl oder etwas anderes sein. Den oder die Reize zu erkennen, die eine bestimmte Routine oder Gewohnheit auslösen, kann sich durchaus schwierig gestalten. Um eine schlechte Angewohnheit loszuwerden, müssen Sie erst Ihre Auslösereize ausfindig machen.

Glücklicherweise haben Psychologen bereits alle Auslösereize in fünf Grundkategorien eingeteilt, darunter Zeit, Ort, vorangegangenes Ereignis, Gefühlszustand und Mitmenschen. Betrachten wir die fünf Kategorien ausführlich und im Einzelnen, um Ihnen bei der Erkennung der Auslöser Ihrer schlechten Gewohnheiten zu helfen.

Die Zeit – Dieser Reiz spielt die größte Rolle. Ein Blick auf Ihren Terminplan reicht und Sie begreifen, warum Zeit der häufigste Auslösereiz ist. Sie stehen zu einer bestimmten Zeit auf, essen zu einer bestimmten Zeit und begeben sich zu einer bestimmten Zeit zu Bett. Werfen wir nun einen Blick auf das Beispiel einer schlechten Gewohnheit, die vom Auslösereiz Zeit abhängt.

Angenommen, Sie machen jeden Tag um 11 Uhr morgens Ihre Kaffeepause. Sie leisten Ihren Kollegen in der Bürokantine Gesellschaft. Zu Ihrem Kaffee essen Sie immer einen Donut und einen Keks, was eine Gewichtszunahme verursachen kann. Nun wollen Sie aus dieser Gewohnheit, während Ihrer Pause immer einen Donut und einen Keks zu essen, ausbrechen. Wenn Sie den Auslösereiz erkennen, können Sie auch die nötigen Veränderungen vornehmen, damit Sie auf diesen Reiz anders reagieren.

Ihr Auslösereiz ist also die Kaffeepause um 11 Uhr. Anstatt in die Kantine zu gehen, können Sie Ihren Kaffee auch am Schreibtisch zu sich nehmen, um nicht in die Versuchung zu geraten, den Donut und den Keks zu essen. Sie können aber auch frisches Obst mitnehmen, das Sie während der Pause essen.

Der Ort – Ein weiterer mächtiger Auslöser. Sie betreten einen Raum und schalten automatisch das Licht an. Sie gehen ins Badezimmer und machen ganz automatisch die Tür hinter sich zu. All diese Handlungen oder Routinen erwachsen aus der Gewohnheit, und Ihr Gehirn aktiviert die Routine, sobald es den Ortsreiz erkennt.

Wie oft sind Sie schon in die Küche gegangen und haben unbewusst nach der Keksdose oder der Chipstüte gegriffen? Das ist die Macht des Ortes. Dieser Reiz ist so tief in Ihrer Psyche verwurzelt, dass Ihr Gehirn den Sinnesorganen automatisch die Ausführung dieser Routine befiehlt, die in diesem Fall darin besteht, nach der Keksdose zu greifen.

Hierzu eine klassische Methode, die Macht der Gewohnheit in den Dienst der Gesundheit zu stellen. Geben Sie statt Keksen Obst in die Dose. Wenn Sie also in die Dose greifen, bekommen Sie Obst statt Keksen zu fassen. Alternativ können Sie die Keksdose auch an einem schwer zugänglichen Ort aufbewahren.

Das vorangegangene Ereignis – Wenn Ihr Telefon läutet, nehmen Sie dann nicht automatisch ab? Und rufen Sie, nachdem Sie das Telefonat beendet haben, nicht unweigerlich Ihre E-Mails und Benachrichtigungen ab? Ein klassisches Beispiel für eine Gewohnheit, die durch ein vorhergehendes Ereignis ausgelöst wird.

Dieses Auslösers können Sie sich für die Entwicklung äußerst nützlicher Gewohnheiten bedienen. Zum Beispiel könnten Sie Ihr Handy mindestens viermal läuten lassen, ehe Sie abheben. Konzentrieren Sie sich während des Wartens auf Ihre Atmung. Dank dieses Ansatzes werden Sie den Anruf effektiver bewältigen können, unabhängig davon, wer sich am anderen Ende der Leitung befindet. Machen Sie es sich zur Angewohnheit, sich auf Ihre Atmung zu konzentrieren, wann immer Ihr Telefon läutet.

Womöglich können Sie sich nicht auf mehr als einen oder zwei Atemzüge konzentrieren. Doch selbst diese kleine Angewohnheit kann eine gewaltige Hilfe sein, da Ihr Gehirn nun auf etwas Positives eingestimmt wird. Durch diese Herangehensweise werden Sie zur Entschleunigung angehalten, was in unseren stressigen Zeiten durchaus kein Nachteil ist.

Ein weiteres Beispiel für eine durch ein vorhergehendes Ereignis ausgelöste Gewohnheit: Während Sie warten, bis Ihr Kaffee fertig ist, werfen Sie schon wieder einen Blick auf Ihr Handy oder lassen Ihre Gedanken wild umherschweifen. Nutzen Sie dieses Zeitfenster stattdessen zur Meditation. Konzentrieren Sie sich auf Ihre Gedanken und Emotionen. Diese morgendliche Meditation stimmt Sie perfekt auf den Tag ein.

Ein weiteres Beispiel, das wir alle kennen, stellt das unbewusste Essen beim Fernsehen dar. Bevor Sie den Fernseher eingeschaltet haben, waren Sie nicht hungrig und hatten keine Lust, etwas zu essen. Sobald Sie sich aber auf das Sofa setzen und den Einschaltknopf auf der Fernbedienung drücken, wechselt Ihr Gehirn in den Essmodus. Ohne groß darüber nachzudenken, gehen Sie in die Küche und holen sich eine Tüte Chips, die Sie während des Fernsehens essen.

Erkennen Sie diesen weitverbreiteten Auslöser und finden Sie Wege, wie Sie es vermeiden können, beim Fernsehen zu essen. Eine Möglichkeit wäre, so lange nicht mehr fernzusehen, bis Ihr Gehirn so vernetzt ist, dass es das Fernsehen nicht mehr mit Heißhunger in Verbindung bringt. Eine andere Möglichkeit besteht darin, darauf zu achten, dass Sie zu Hause kein ungesundes Essen herumliegen haben. Füllen Sie Ihren Kühlschrank stattdessen mit Obst und Gemüse, damit Sie sich einen gesunden Salat machen können, den Sie beim Fernsehen essen.

Der Gefühlszustand – Ihr Gefühlszustand löst eher schlechte als gute Angewohnheiten aus. Wenn Sie zum Beispiel deprimiert sind, bekommen Sie dann Heißhungerattacken? Wenn Sie verärgert sind, schreien Sie dann wild um sich? Wenn Sie verstimmt sind, kaufen Sie sich dann unnötiges Zeug? Dies sind klassische Beispiele für durch den Gefühlszustand ausgelöste Gewohnheiten.

Problematisch an gefühlsbasierten Auslösereizen ist, dass sie sehr schwierig zu kontrollieren sind, da Sie Ihre Gefühle während eines Zustandes gesteigerter Emotionen meist unweigerlich überwältigen und beherrschen. Es erfordert viel Kraftaufwand, mit seinen Gefühlen so umgehen zu können, dass diese Sie nicht überwältigen.

Daher sollten Sie es in der Anfangsphase der Erkennung schlechter Gewohnheiten, die durch diesen Reiz ausgelöst werden, vermeiden, diese durch gute Gewohnheiten zu ersetzen. Durch Achtsamkeit lassen sich diese Zustände hervorragend bewältigen. Wenn Sie von Ihren Gefühlen erfasst werden, dann sollten Sie aus ihnen hinaustreten und Ihre Emotionen so objektiv wie möglich betrachten. Lassen Sie Gedanken wie „Ja, ich bin verärgert, weil…" zu. Versuchen Sie jedoch, nicht auf Ihre Gefühle zu reagieren. Betrachten Sie sie nur von außen.

Anfangs dürfte Ihnen diese Strategie schwerfallen, da Sie es gewohnt sind, auf Ihre Emotionen zu reagieren. Doch mit der nötigen Geduld und Hartnäckigkeit werden Sie schon bald merken, dass Ihnen die Methode, Ihre Emotionen zu beobachten, ohne auf sie zu reagieren, immer leichter fällt.

Schon bald werden Sie bemerken, dass Emotionen zu den kurzlebigsten Aspekten der menschlichen Natur zählen. Eine Situation, die gestern noch den Zorn in Ihnen aufsteigen ließ, lässt Sie womöglich heute in schallendes Gelächter ausbrechen.

Durch Achtsamkeit wird Ihnen die Erkennung dieser Gefühlszustände erleichtert, und wenn Sie sich auf Ihre Gefühle konzentrieren, verhindern Sie, dass Ihr Verstand in den Automatikmodus wechselt.

Die Mitmenschen – Das schon einmal erwähnte Zitat von Jim Rohn: *„Du bist der Durchschnitt der fünf Menschen, mit denen du die meiste Zeit verbringst"*, können Sie anhand Ihres Lebens wahrscheinlich leicht bestätigen.

Ist Ihnen schon einmal aufgefallen, wie viel Sie essen, wenn Sie sich in Gesellschaft von Menschen befinden, die zu viel essen? Wenn Sie achtsam wären, würden Sie dann bemerken, dass Sie weit größere Mengen als üblich essen? Wenn Sie dementsprechend mit Leuten zusammen essen, die Sich bewusst ernähren, folgen Sie unbewusst deren Beispiel. Auf diese Weise beeinflussen Ihre Mitmenschen, wie Sie Ihre Gewohnheiten entwickeln.

Wenn Sie zum Beispiel normalerweise nicht trinken, sich aber in Gesellschaft trinkender Freunde befinden, dann kommt es Ihnen ganz natürlich vor, sich ebenso einen Drink zu genehmigen. Diese Einstellung stellt nur eine Reaktion auf Ihre Umwelt und die Menschen in Ihrer Umgebung dar. Wenn Sie in der Lage sind, solche Menschen in Ihrem Leben, die schlechte Angewohnheiten fördern, zu erkennen, ist es sinnvoll, sich von ihnen möglichst fernzuhalten.

Die Routine

Bei der Routine handelt es sich um die eigentliche Gewohnheit, die sich emotional, körperlich oder geistig ausdrücken kann und leicht zu erkennen ist. Sei es nun der allmorgendliche Keks oder der Gang in die Küche.

Die Belohnung

Die Belohnung ist das Endergebnis, das in Ihrem Gehirn bewirkt, dass es die Entwicklung einer Gewohnheit oder die Erinnerung an eine Routine für lohnend hält. Die Bezeichnung „Belohnung" ist im Falle von schlechten Gewohnheiten jedoch unzutreffend. In Wahrheit gibt es keine Belohnung, denn schlechte Gewohnheiten führen zu emotionalen, finanziellen und materiellen Verlusten. Dennoch hält Ihr Gehirn, das von vorübergehender Befriedigung angetrieben wird, diese „Belohnung" für lohnend und entwickelt die Gewohnheitsschleife, die einen Automatikmodus in Gang setzt, sobald ein Auslösereiz ins Spiel kommt.

Um schlechte Gewohnheiten abzulegen, sollten Sie daher mit verschiedenen Arten von Belohnungen experimentieren, die sich tatsächlich lohnen, damit Ihr Gehirn aus guten Gewohnheiten eine Schleife entwickelt. Zum Beispiel werden Jogger beim Laufen in ein Hochgefühl versetzt, während Spieler beim Glücksspiel in einen „Rausch" versetzt werden. Wenn Sie also das Spielen durch das Laufen ersetzen können, wird Ihr Gehirn das Laufen für lohnend halten und eine Erinnerungsschleife für diese positive Angewohnheit entwickeln.

Bedeutung der Erkennung der Gewohnheitsschleife

Die Erkennung der Gewohnheitsschleife all Ihrer Angewohnheiten trägt dazu bei, dass Sie mit Ihren Gewohnheiten in zweierlei Hinsicht positiver umgehen können:

- Auslösereize können zur Entwicklung neuer, positiver Gewohnheiten beitragen.
- Auslösereize können dazu beitragen, schlechte Gewohnheiten abzulegen und zu ersetzen.

Es ist schwierig, seine Gewohnheiten zu ändern. Die Erkennung der Gewohnheitsschleife vereinfacht es jedoch, schlechte Gewohnheiten aufzugeben und neue Gewohnheiten zu entwickeln. Die Struktur einer Gewohnheit zu erkennen, unterstützt Sie außerdem dabei, Lösungen zu finden und Ihr Leben zum Positiven zu verändern. Das Erkennen Ihrer Gewohnheitsschleifen stärkt im Wesentlichen Ihr Selbstbewusstsein, was es Ihnen wiederum ermöglicht, innovative Lösungen zur Überwindung Ihrer schlechten Angewohnheiten zu finden.

Schlechte und alte Gewohnheiten durch neue und gute ersetzen

„Unsere Gewohnheiten können entweder Fluch oder Segen sein. Wir werden zu dem, was wir immer wieder tun.“ – Sean Covey. In diesem Sinne ist es sinnvoll, schlechte Gewohnheiten abzulegen und gute Gewohnheiten zu entwickeln.

Allerdings ist es nicht möglich, eingefahrene und negative Gewohnheiten gänzlich abzulegen, da deren Belohnungswert tief in unser Gehirn eingebrannt ist. Man kann seinem Verstand beispielsweise nie ganz abgewöhnen, sich nach der Arbeit auf die Couch lümmeln zu wollen, da die neurologischen Denkmuster dafür bereits vorhanden sind.

Wenn Sie jedoch neue neurologische Denkmuster aufbauen können, die Ihnen das gleiche Maß an Befriedigung wie das Lümmeln auf dem Sofa verschaffen, dann werden diese alten Muster durch neue ersetzt. Wenn Sie zum Beispiel direkt nach der Arbeit zum Joggen gehen, wird Ihr Gehirn das alte neurologische Muster schon bald durch dieses neue ersetzen. Dies hilft Ihnen dabei, schlechte Gewohnheiten zu überwinden und neue, gute Angewohnheiten zu entwickeln.

Der Trick besteht darin, den Auslösereiz und die Belohnung beizubehalten (denn diese können durchaus verändert werden) und mit neuen, zuträglicheren Routinen als den bisherigen zu experimentieren, um schlechte Gewohnheiten durch gute und neue Gewohnheiten zu ersetzen. Beim erwähnten Beispiel handelt es sich um eine Kombination aus Zeit- und Ortsreiz – die Couch nach der Arbeit. Die Belohnung stellt das Zufriedenheitsgefühl durch die ausgeschütteten Glückshormone dar. Das Lümmeln auf der Couch ist die Routine.

Behalten Sie nun den Auslösereiz sowie die Belohnung bei, doch statt sich auf die Couch zu lümmeln, gehen Sie joggen oder ins Fitnessstudio. Auf diese Weise ersetzen Sie die schlechte Gewohnheit effektiv durch die gute.

Fragen zur Selbsteinschätzung aktueller Gewohnheiten

Beantworten Sie die folgenden Fragen zum besseren Verständnis Ihrer gegenwärtigen Gewohnheiten:

1. Halten Sie sich für eine zuverlässige Angestellte?
2. Halten Sie sich für eine zuverlässige Mutter, die unermüdlich alles Notwendige für ihre Kinder tut?
3. Halten Sie sich für pünktlich?
4. Arbeiten Sie gut im Team und achten Sie darauf, dass Teambesprechungen produktiv ablaufen?
5. Halten Sie sich für eine disziplinierte und verantwortungsbewusste Mitarbeiterin, die nicht beaufsichtigt werden muss?
6. Welche fünf schlechten Angewohnheiten wollen Sie gerne loswerden?

Kapitel 4:
Praktische Beispiele

Im zweiten Kapitel haben wir uns mit den sechs Komponenten des Selbstwertgefühls sowie mit ihrer Bedeutung für die Steigerung Ihres Selbstwertgefühls befasst. In diesem Kapitel sollen Ihnen anhand praktischer Beispiele einige Tipps zur Entwicklung der sechs Säulen zur Verfügung gestellt werden.

Bewusst leben

NLP-Techniken

Neurolinguistisches Programmieren (NLP) zielt darauf ab, Ihr Unter- sowie Unbewusstsein mit Ihrem Bewusstsein in Einklang zu bringen, damit Ihr ganzes Sein harmonisch in eine Richtung voranschreitet. NLP steht für:

- neuro – bezieht sich auf die Hirnnerven und die Nervensysteme.
- linguistisch – bezieht sich auf die Sprache des Verstandes.
- Programmieren – setzt etwas auf bestimmte Weise in Gang.

Im Folgenden werden einige NLP-Techniken aufgeführt, die Ihnen dabei helfen, bewusster zu leben.

Konzentrieren Sie sich auf Ihre Gedanken – Sowohl unser Unter- als auch unser Unbewusstsein werden stark von unseren Gedanken beeinflusst. Wenn Sie zum Beispiel denken, dass Sie Ihre Beförderung nicht erhalten, dann werden sich Körper und Bewusstsein gegen Ihre Versuche wehren, sich auf die

Beförderung vorzubereiten, da diese negativen Gedanken Ihren tiefen Verstand dazu zwingen, diesen Gedanken für wahr zu halten.

Denken Sie hingegen „Ich verdiene diese Beförderung und ich werde Sie ganz bestimmt bekommen“, so wird dies Ihr Unterbewusstsein für wahr halten und sowohl Ihr Bewusstsein als auch Ihren Körper dazu antreiben, hart auf Ihre Beförderung hinzuarbeiten.

Gebete – In Ihren Gebeten spiegeln sich Ihre Wünsche und Hoffnungen wider. Durch Gebete wird ein tiefer Sinn an den Glauben daran vermittelt, dass eine höhere Macht mit Ihnen an der Erfüllung Ihrer Träumer arbeitet.

Wenn Sie zum Beispiel dafür beten, dass Ihr Sohn seinen Studieneignungstest besteht, dann werden Sie unterbewusst darin gestärkt, Ihren Sohn zu harter Arbeit und zum Glauben an seine Fähigkeiten, erfolgreich zu sein, zu ermutigen.

Ihr Glaube an die Fähigkeiten und Stärken Ihres Sohnes werden sich auf ihn übertragen und ihn dazu antreiben, sein Bestes zu geben, was seine Erfolgsaussichten erheblich erhöht.

Affirmationen

Durch Affirmationen wird der Glaube an sich selbst und Ihre Fähigkeiten, Erfolge zu erzielen, gestärkt. Verwenden Sie für ein bewussteres Leben die folgenden positiven Affirmationen:

- Ich bin mein eigener Herr und genüge mir selbst.
- Ich setze meine Kräfte konstruktiv und produktiv ein.
- Es macht mich glücklich, bewusste Entscheidungen zu treffen und nach meinen Vorstellungen zu leben.
- Ich stehe mit meinen Gedanken und Gefühlen im Einklang.

Visualisierung

Devin Alexander hat mehrere erfolgreiche Kochbücher veröffentlicht und tritt als Reality-TV-Moderatorin auf. Sie glaubt fest an Traumcollagen, die ihr bei der Verwirklichung ihrer Träume helfen. Laut Alexander stellt die Visualisierung eine eindrückliche Erinnerung an Träume und Ziele dar.

Visualisierung ist wie eine gedankliche Traumcollage. Wir alle besitzen eine mächtige Fantasie, daher ist es sinnvoll, von ihr für ein bewussteres Leben Gebrauch zu machen. Visualisieren Sie Ihre Erfolge und Freudentage. Arbeiten Sie darauf hin, diese Gedankenbilder herauszukristallisieren.

Meditation

Bei der Meditation geht es darum, dass Sie Ihren Gedanken und Emotionen Zeit widmen. Beim Meditieren richten Sie Ihre Konzentration auf Ihre Gefühle und Gedanken, oft auch auf unangenehme. Und wenn Sie sich auf diese Gefühle und Gedanken konzentrieren, lernen Sie sie besser kennen und unterscheiden zwischen den nützlichen und unnötigen Gedanken, damit Sie die schlechten Gedanken verwerfen und die guten effektiv zum Einsatz bringen können.

Beginnen und beenden Sie jeden Tag mit einer zehnminütigen Meditationseinheit. Visualisieren Sie während der Meditation den bevorstehenden Tag und bereiten Sie sich auf die zu erwartenden guten, aber auch schlechten Ereignisse vor. Sie können beim Meditieren auch positive Affirmationen benutzen.

Führung eines Tagebuchs

Das Führen eines Tagebuchs erleichtert Ihnen eine verbesserte und bewusste Lebensführung in mehrfacher Hinsicht:

Zunächst werden Ihre Tageserfahrungen insofern intensiviert, als Sie sie beim Verfassen des Tagebucheintrages im Geiste noch einmal erleben. Wenn Ihnen Ihr Vorgesetzter beispielsweise ein Kompliment gemacht hat, so waren Sie womöglich so beschäftigt, dass Sie noch gar keine Zeit hatten, sich darüber zu freuen. Wenn Sie dieses Ereignis am Ende des Tages in Ihr Tagebuch eintragen, können Sie es sich erneut in Erinnerung rufen und diesen freudigen Augenblick in einer gesünderen Art und Weise als zuvor auf der Arbeit erleben.

So spüren Sie die Freude, die Ihnen durch Ihre harte Arbeit und das Lob Ihres Vorgesetzten zuteilwird. Und wenn Sie meinen, dass eines Ihrer Teammitglieder ebenso das Wohlwollen Ihres Chefs verdient, dann wäre dies ein guter Zeitpunkt, das Kompliment an diesen Teamkollegen weiterzugeben. Zu vergessen, den Namen des betreffenden Teammitgliedes vor Ihrem Chef zu erwähnen, als er Ihnen all diese netten Sachen sagte, ist nicht ungewöhnlich.

Zweitens steigert das Führen eines Tagebuchs Ihr Dankbarkeitsgefühl. Für die kleinen Dinge des Lebens dankbar zu sein, trägt zu einem bewussteren Leben bei.

Und schließlich können Sie die negativen Erfahrungen des Tages aus gesundem Abstand betrachten, aus ihnen lernen und nach vorne blicken.

Sich selbst annehmen

NLP-Techniken

Selbstakzeptanz als Anker – Wann immer Sie sich von irgendeiner Schwäche überwältigt fühlen, müssen Sie sich ins Bewusstsein rufen, dass Ihre Stärken ausreichen, um Ihre Schwächen zu kompensieren. Das „Ankern“ stellt eine hervorragende NLP-Technik dar, die Ihnen dabei hilft, sich an fröhliche Momente zu erinnern, indem Sie sie mit einer körperlichen Geste in Verbindung bringen.

Wenn Sie sich zum Beispiel eine schöne Erinnerung ins Gedächtnis rufen und sie im Geiste erneut durchleben, dann reiben Sie die Fingerspitzen Ihres Daumens und Zeigefingers aneinander. Führen Sie diese Geste jedes Mal aus, wenn Sie an diese Erinnerung denken, damit Sie diese Erfahrung in Ihrem Gehirn „verankern“. Jedes Mal, wenn Selbstzweifel in Ihnen aufkommen, sollten Sie diese Fingerbewegung wiederholen. So füllen Sie Ihren Kopf mit positiven Bildern und erlangen die Kontrolle über Ihre positive Einstellung zurück.

Affirmationen

Selbstakzeptanz stellt einen wichtigen Bestandteil des Selbstwertgefühls dar. Bedienen Sie sich hierzu folgender Affirmationen:

- Ich verdiene Glück, Freude und Liebe.
- Ich kann nur geliebt werde, wenn ich mich selbst liebe.
- Ich bin einzigartig, und das ist das Beste an mir.
- Ich liebe mich bedingungslos, und deshalb kann ich auch andere so lieben.
- Ich akzeptiere mich vollkommen.
- Ich brauche nichts und niemanden außer mich selbst, um mir zu genügen.
- Ich werde das Geschenk des Lebens selbstsicher und ausgelassen nutzen.
- Ich werde mich mit positiven Gefühlen umgeben, denn nur das verdiene ich.

Visualisierung

Visualisieren Sie sich stets in einer fröhlichen und glücklichen Stimmung. Konzentrieren Sie sich stets auf die guten Dinge im Leben und veranschaulichen Sie diese. So zaubern Sie sich automatisch ein Lächeln ins Gesicht, und ein lächelndes Gesicht zieht immer auch positive Gefühle, glückliche Menschen und freundvolle Situationen an.

Wenn Sie zum Beispiel an etwas Schönes und Angenehmes denken, dann erstrahlt ein Lächeln auf Ihrem Gesicht, ohne dass Sie es bemerken. Denken Sie dagegen an einen schrecklichen Vorfall in Ihrem Leben, dann zeichnet sich entweder ein Stirnrunzeln auf Ihrem Gesicht ab oder die Tränen schießen Ihnen in die Augen. Und wenn Sie sich so lieben und annehmen, wie Sie sind, spiegelt sich Ihr Selbstvertrauen auf diese Weise auch in Ihrer Körpersprache wider und steigert Ihr Selbstwertgefühl.

Meditation

Bedienen Sie sich der oben angeführten Affirmationen zur Selbstakzeptanz und meditieren Sie darüber regelmäßig, damit Ihr Bewusstsein, Unterbewusstsein und Unbewusstsein miteinander in Einklang gebracht werden. Dies hilft Ihnen dabei, ein harmonischeres und glücklicheres Leben zu führen.

Führung eines Tagebuchs

Gestalten Sie Ihre Tagebucheinträge anhand folgender Fragen:

- Von welchen Dingen in meinem Leben weiß ich, dass ich Sie voll und ganz verdiene?
- Wie kann ich mir selbst besser vertrauen?
- Gab es in Ihrem Leben jemals einen Zwischenfall, den Sie damals nicht für richtig hielten? Doch mittlerweile wissen Sie, dass es zum Besten war? Führen Sie dieses Ereignis näher aus.

Eigenverantwortlich leben

NLP-Techniken

Die Swish-Methode – Bei der Swish-Methode werden negative Gedanken in positive umgewandelt. Um sie zu erklären, betrachten wir ein typisches Szenario aus Ihrem Leben. Angenommen, Sie geben ein Abendessen. Sie sind als ausgezeichnete Köchin bekannt, und doch plagen Sie Selbstzweifel darüber, ob alle Gerichte auch gelingen werden. Die Swish-Methode besteht aus drei Komponenten:

Der unerwünschte Gedanke bzw. Auslöser – Hierbei handelt es sich um die negativen, selbstzweiflerischen Gedanken über Ihre Kochkünste.

Das unerwünschte Gefühl – Dies ist das Angst- und Unsicherheitsgefühl, das den negativen Auslöser begleitet.

Der Ersatzgedanke – Denken Sie nun an einen Augenblick zurück, wo Sie ein großes Lob für Ihre Kochkünste erhielten. Ersetzen Sie den negativen Auslöser durch die positiven Gedanken an Ihre vergangenen kulinarischen Erfolge. Ersetzen Sie die unerwünschten Auslöser immer wieder durch Ersatzgedanken, bis Ihr Verstand schließlich neu und positiv vernetzt ist.

Die Swish-NLP-Technik eignet sich hervorragend dazu, unbegründete Zweifel in Ihnen auszuschließen, damit Sie Verantwortung für sich selbst übernehmen und hart auf Ihren Erfolg hinarbeiten können.

Affirmationen

Im Folgenden sind einige wirksame Affirmationen zur Eigenverantwortung aufgelistet:

- Ich übernehme für die Entscheidungen und Erfahrungen in meinem Leben volle Verantwortung.
- Allein ich bin für mein Leben verantwortlich.
- Dafür, wie andere mich wahrnehmen, bin ich nicht verantwortlich.
- Ich bin verantwortlich für meine Taten, Gefühle, Worte und Gedanken, unabhängig davon, was sie ausgelöst hat.

Visualisierung

Die Visualisierung zukünftiger Ereignisse oder eines Zeitpunktes in der Zukunft in Ihrem Leben trägt dazu bei, Eigenverantwortung aufzubauen:

- Begeben Sie sich zuerst an einen ruhigen Ort und nehmen Sie Platz.
- Schließen Sie anschließend die Augen und stellen Sie sich vor, wie Sie sich in fünf Jahren sehen.
- Was sehen Sie? Eine Beförderung? Ein glückliches Heim, das vom ausgelassenen Lachen Ihrer Kinder erfüllt wird? Eine Weltreise? Wählen Sie aus, was Ihnen am wichtigsten erscheint.
- Zweifeln Sie an dieser Stelle nicht daran, dass Sie das, was Sie sich gerade vorstellen, erreichen werden. Ergänzen Sie das Bild, das Sie vor Augen haben, um alle Einzelheiten und lassen Sie es zum Leben erwachen. Verankern Sie diese Vorstellung in Ihrem Verstand.
- Öffnen Sie die Augen und genießen Sie den Nachhall dieser schönen Visualisierungserfahrung.
- Übernehmen Sie die Verantwortung für diesen Traum und krempeln Sie die Ärmel hoch.

Meditation

Wann immer etwas in Ihrem Leben schiefläuft, füllt sich Ihr Verstand mit negativen Gedanken, und wie selbstverständlich suchen Sie einen Sündenbock dafür. Für diese Reaktion brauchen Sie sich nicht zu schämen. Sie ist ganz natürlich. Wenn

Sie jedoch achtsam leben, sollten Sie sich dieses Gefühls stets bewusst sein.

Nehmen Sie nun Platz und durchleben Sie die negative Erfahrung mit geschlossenen Augen erneut. Achten Sie darauf, Ihre Emotionen während der Meditation außen vor zu lassen. Hier ein Beispiel: Angenommen, Ihr Vorgesetzter bittet Sie, eine Präsentation zu halten, und Sie bereiten sich so vor, wie Sie es für richtig halten. Nun verläuft der Vortrag aber nicht so einwandfrei wie erhofft. Ihr Chef ist verärgert und wirft Ihnen vor Ihren Kollegen eine Gemeinheit an den Kopf. Sie könnten Ihrem Chef die Schuld dafür geben, Ihre Arbeit nicht vorher geprüft zu haben. Dies wäre allerdings kein gesunder Zugang zu mehr Eigenverantwortung.

Anstatt mit Verärgerung zu reagieren, sollten Sie Ihren Vorgesetzten um Erlaubnis bitten, den Besprechungsraum für ein paar Minuten verlassen zu dürfen. Begeben Sie sich an einen ruhigen Ort und denken Sie darüber nach, was geschehen ist. Stellen Sie sich die folgenden Fragen:

- Warum haben Sie nicht im Vornhinein abgeklärt, ob sich Ihr Gedankengang mit den Erwartungen Ihres Vorgesetzten deckt?
- Warum haben Sie Ihren Chef nicht darum gebeten, Ihre Arbeit zu prüfen und mit einem Feedback zu versehen, damit Sie die Korrekturen im Vorfeld hätten vornehmen können?

Konzentrieren Sie sich auf diese Erfahrung und übernehmen Sie Eigenverantwortung für die Dinge, die Sie hätten richtig machen können, ohne auf die Hilfe anderer zu zählen. Durch diese Herangehensweise erlangen Sie die Kontrolle über Ihr Leben und treffen die richtigen Entscheidungen für die Zukunft. Nehmen Sie Fehler nicht persönlich, selbst wenn sie mit einer gewissen Demütigung einhergehen. Akzeptieren Sie Ihre Fehler mit der richtigen Einstellung, lernen Sie aus ihnen und lassen Sie sie los.

Führung eines Tagebuchs

Schreiben Sie am Ende eines jeden Tages zwei Dinge auf, die an diesem Tag schiefgegangen sind. Erinnern Sie sich an diese Erfahrungen und erleben Sie sie im Geiste noch einmal, jedoch ohne Ihre Emotionen. Zusätzlich zu diesen beiden Erfahrungen schreiben Sie nun jeweils auf, was Sie hätten anders machen können, damit sich der Ausgang der besagten Ereignisse weniger ungünstig gestaltet hätte. Wiederholen Sie diese Übung täglich und Sie werden schon bald merken, wie sehr die Kraft der Eigenverantwortung Ihre Lebensqualität verbessert.

Sich selbstsicher behaupten

NLP-Techniken

Nein sagen zu lernen, gehört zu den entscheidendsten Bestandteilen des NLP. Selbstbehauptung setzt voraus, dass Sie in Ihrem Leben recht oft Nein sagen müssen. Wie oft haben Sie für die Kinder Ihrer Nachbarin schon den Babysitter gespielt, weil Sie nicht den Mut fanden, Nein zu sagen, während sie mit ihren Freundinnen um die Häuser zog? Wie oft haben Sie sich schon mehr Arbeit aufgehalst als Sie erledigen konnten, nur weil Sie nicht Nein sagen konnten oder fürchteten, die besondere Gunst Ihres Vorgesetzten zu verlieren?

Dies sind Beispiele für die gescheiterte Ausübung von Selbstbehauptung. Sie wissen zwar, dass es richtig wäre, Nein zu sagen, und dass es mit Ihren Werten und Grundsätzen im Einklang stünde. Dennoch lassen Sie sich dazu drängen, mehr auf sich zu nehmen als Sie können, weil Sie fürchten, sich unbeliebt zu machen. Anstatt in Sachen Selbstbehauptung bzw. Durchsetzungsvermögen den Kürzeren zu ziehen, sollten Sie die für mehr Selbstbehauptung notwendigen Fähigkeiten ausbauen.

Eine der beliebtesten NLP-Techniken besteht darin, erwünschte Szenarien zu dekonstruieren und zu formulieren. Üben Sie im Geiste Antworten und Reaktionen, die Sie dann im wahren Leben umsetzen. Wenn Sie zum Beispiel Ihrer Nachbarin absagen müssen, wenn sie Sie das nächste Mal darum bittet, auf Ihre Kinder aufzupassen, während Sie feiern geht, dann überlegen Sie sich in Gedanken eine angemessene Reaktion im Umgang mit ihr. Formulieren Sie überzeugende Antworten auf ihre zu erwartenden Gegenfragen und gehen Sie sie gedanklich durch. Je mehr Sie üben, desto leichter fällt es Ihnen, sie in die Praxis umzusetzen.

Affirmationen

Wiederholen Sie diese Affirmationen, um einen natürlichen Sinn für Selbstbehauptung zu entwickeln und schließlich Ihren Gedanken und Gefühlen ehrlich Ausdruck verleihen können. Die folgenden Affirmationen tragen dazu bei, Ihre geistige Belastbarkeit, die zur Steigerung Ihres Durchsetzungsvermögens erforderlich ist, zu stärken.

- Ich habe keine Angst davor, meine Meinung frei zu äußern.
- Ich bin ein durchsetzungsstarker Mensch.
- Ich habe keine Schwierigkeiten damit, anderen meine Gefühle mitzuteilen.
- Ich bin in Gesprächen mit anderen sehr selbstsicher.
- Ich nehme eine klare Haltung ein, wenn meine Grundwerte herausgefordert werden.
- Ich stehe für meine Grundsätze ein.
- Ich kann meine Antworten und Reaktionen in jeder Situation kontrollieren.
- Ich drücke mich ehrlich und bestimmt aus.
- Ich setze klare Grenzen und Anforderungen.
- Ich werde wegen meiner Durchsetzungsfähigkeit respektiert.

Visualisierung

Angenommen, Sie müssen einen Vortrag vor Ihren Vorgesetzten halten. Da Sie eine großartige Mitarbeiterin sind, wurden Sie für diese Aufgabe ausgewählt. Doch Ihr Mangel an Durchsetzungsfähigkeit versetzt Sie in Panik. Und hier kommen Visualisierungstechniken ins Spiel, die Ihnen von großer Hilfe sein können.

Sorgen Sie zunächst dafür, dass Sie sich sorgfältig auf die Präsentation vorbereitet haben. Üben Sie sie immer wieder, bis die Präsentation in Fleisch und Blut übergeht und Sie sie auswendig sowie fehlerfrei beherrschen. Setzen Sie sich anschließend und schließen Sie die Augen.

Stellen Sie sich den Raum vor, in dem Ihre Vorgesetzten Platz nehmen und auf den Beginn Ihres Vortrages warten werden. Stellen Sie sich vor, dass Sie tief durchatmen und sich direkt in die Präsentation stürzen. Wiederholen Sie den Vortrag im Geiste so als ob Sie ihn gerade wirklich halten würden. Üben Sie Antworten auf etwaige Gegenargumente Ihrer Vorgesetzten ein. Visualisieren Sie das Selbstvertrauen in Ihrer Haltung und Gestik. Und vergessen Sie dabei das Lächeln nicht.

Nachdem Sie mit der Präsentation fertig sind, stellen Sie sich vor, wie Sie Ihre Vorgesetzten für den gelungenen Vortrag beglückwünschen. Öffnen Sie nun die Augen und lassen Sie das Gefühl von Selbstvertrauen Ihren Körper durchströmen. Wiederholen Sie diese Visualisierungsübung so oft, bis Ihr Gehirn neu auf Selbstbehauptung eingestellt ist.

Meditation

Beim Meditieren stehen Sie in enger Verbindung mit Ihren Gedanken und Gefühlen. Diese Verbindung hilft Ihnen, zwischen produktiven und unproduktiven Gedanken zu unterscheiden. So können Sie deutlich sehen, was in einer bestimmten Situation misslungen ist. Dies ermöglicht es Ihnen, diese Situationen in Zukunft besser zu meistern.

Durch Meditation wird Ihnen zudem der Unterschied zwischen Aggression und Selbstbehauptung klar. Sie können Ihre Reaktionen genau abstimmen und der jeweiligen Situation entsprechend ändern, wenn Sie den Unterschied erkennen. Somit wird auch Ihr Niveau an Selbstbewusstsein erhöht. Mit Meditation geht Ruhe und Frieden einher, was wiederum zur Folge hat, dass Sie schwierigen Situationen aktiv begegnen können, als nur auf sie zu reagieren. Während Ihrer Meditationen können Sie Affirmationen auch als Mantren verwenden.

Führung eines Tagebuchs

Tragen Sie Folgendes täglich in Ihr Tagebuch ein:

- Die Probleme, denen Sie während des Tages begegnet sind.
- Passende Affirmationen für die jeweiligen Probleme.
- Das detaillierte Gedankenbild eines besseren Ausgangs dieser Situationen.

Nehmen wir beispielsweise an, dass das größte Problem, mit dem Sie an einem bestimmten Tag konfrontiert waren, darin bestand, dass Sie Ihren Projektbericht völlig falsch gemacht haben. Der Fehler war natürlich ganz Ihrerseits. Doch die Reaktion Ihres Vorgesetzten fiel ziemlich unhöflich und demütigend aus. Sie haben die nötigen Korrekturen an dem Bericht vorgenommen und der Arbeitstag ging dem Ende zu.

Schreiben Sie nun drei zu dieser schlechten Erfahrung passende Affirmationen auf, sobald Sie zu Hause sind. Zum Beispiel:

- Meine Leistung kann durch einen korrigierbaren Fehler nicht unterminiert werden.
- Die gemeine Reaktion meines Chefs zeugt nur von seiner Bosheit und hat nichts mit mir zu tun.
- Es ist nur natürlich, sich schlecht oder gedemütigt zu fühlen, und deswegen habe ich weder Scham- noch Schuldgefühle.

Visualisieren Sie anschließend dieselbe Szene, doch diesmal bieten Sie Paroli. So könnten Sie zum Beispiel sagen: „Der Fehler tut mir leid. Allerdings ist er klein und korrigierbar und hat keinen wirklichen Einfluss auf das Gesamtbild. Daher glaube ich nicht, dass eine Reaktion, die dazu führt, dass ich gedemütigt werde, gerechtfertigt ist." Zwar mag es wenig sinnvoll sein, so in Anwesenheit Ihrer Kollegen zu sprechen, doch visualisieren Sie, wie Sie Ihrem Vorgesetzten unter vier Augen wissen lassen, dass Sie seine unnötigen Beleidigungen verletzt haben.

Zielgerichtet leben

NLP-Techniken

Eine weitere hilfreiche NLP-Technik zur zielgerichteten Lebensführung besteht darin, sich nach sogenannten SMART-Zielen zu richten. SMART steht für:

S – spezifisch. Zum Beispiel: „Bis zum Ende dieses Quartals werde ich zwei Kilo abnehmen." Dies ist ein spezifisches und klar definiertes Ziel, im Gegensatz zu einer vagen Zielsetzung wie: „Ich werde abnehmen."

M – messbar. Zwei Kilogramm sind eine messbare Größe. Das zweite, unspezifische Ziel hingegen ist nicht messbar. Ziele, bei denen der Aspekt der Messbarkeit fehlt, sind keine SMART-Ziele.

A - achievable bzw. erreichbar. Das Ziel „Bis zum Ende dieses Quartals werde ich zwei Kilo abnehmen" ist ein erreichbares Ziel, insbesondere wenn Sie ein gutes Abnehmprogramm zur Hand haben, das Sie sofort umsetzen können. „Bis zum Ende des Quartals werde ich die Rolle meines Vorgesetzten übernehmen" ist hingegen nicht erreichbar, da hierbei noch andere, unkontrollierbare Faktoren eine Rolle spielen.

R – realistisch. Zwei Kilogramm in drei Monaten abzunehmen ist durchaus realistisch, wenn Sie an Ihren Plänen festhalten. Wenn Sie sich jedoch zum Ziel setzen, in drei Monaten vierzehn Kilogramm abzunehmen, ist dies äußerst unrealistisch und kann nicht als SMART bezeichnet werden. Stattdessen sollten Sie die vierzehn Kilogramm in Zwei-Kilo-Schritte aufgliedern.

T – terminiert bzw. zeitgebunden. Sie müssen Ihren Zielen eine Frist geben. Das Ziel, innerhalb dreier Monate zwei Kilogramm abzunehmen, ist ein zeitgebundenes Ziel, wohingegen das Ziel „Ich werde abnehmen" mit keiner Frist versehen ist und daher nicht als SMART-Ziel gelten kann.

Affirmationen

Benutzen Sie die folgenden Affirmationen für ein zielgerichtetes Leben:

- Mein ganzes Dasein ist von einem tiefen Gefühl der Sinnhaftigkeit erfüllt.
- All meine Taten und Entscheidungen stehen mit meinem Lebenszweck im Einklang.
- Ich stelle eine tiefe Verbindung mit meiner Seele her und mein Lebenszweck wird mir dadurch immer klarer.
- Durch mein zielgerichtetes Leben sind mein Körper und Geist voller Freude und Glück.
- Meine Bestimmung wird mit jedem Tag deutlicher.
- Jede Entscheidung, die ich treffe, und jede Tat, die ich vollbringe, bringt mich näher an meine Bestimmung.

Visualisierung

Entscheiden Sie sich zuerst für einen Lebenszweck und benutzen Sie dann die Visualisierungstechniken, die Ihnen bei der Verwirklichung Ihrer Wünsche und Träume helfen:

- Stellen Sie sich den Tag vor, an dem Ihnen die langersehnte Beförderung angekündigt wird. Visualisieren Sie, wie Sie von Ihren Arbeitskollegen, Teammitgliedern und Ihrem Vorgesetzten begrüßt und beglückwünscht werden. Genießen Sie den Stolz, den Sie durch die lang erwartete Belohnung fühlen.

- Visualisieren Sie, dass Sie einen großen Erfolg mit Ihrer Präsentation auf einem wichtigen Firmenseminar erzielen.

- Stellen Sie sich vor, dass Sie einen Blick auf Ihre Kontoauszüge werfen und dort eine hohe Gutschrift als Jahresbonus sehen. Führen Sie sich ruhig eine Zahl vor Augen und stellen Sie sich vor, dass der Betrag Ihrem Konto gutgeschrieben wird.

- Stellen Sie sich vor, dass Sie auf Weltreise gehen und einen Blog über all die wunderbaren Orte schreiben, die Sie bereisen.

- Visualisieren Sie ein glückliches Heim mit den leckeren Düften aus der Küche, dem Bellen des Hundes, dem Lachen der Kinder und all den anderen schönen Dingen, die dazugehören.

Starke Visualisierungen dieser Art eignen sich hervorragend dazu, die Entschlossenheit und Willenskraft zu stärken, die Sie zur Erreichung Ihres Lebenszweckes benötigen.

Meditation

Sie müssen sich fortwährend Ihren Lebenszweck in Erinnerung rufen, ansonsten verliert er sich unweigerlich im Lärm des Alltags. Arbeit und andere Beschäftigungen nehmen Ihre Zeit so sehr in Anspruch, dass Sie kaum Zeit für sich selbst finden.

Da kann Ihr Lebenszweck schnell in den Hintergrund geraten. Wenn Sie Ihre Fortschritte nicht im Auge behalten, wird Ihnen auffallen, dass Sie Entscheidungen treffen, die sich in Bezug auf Ihre Bestimmung als kontraproduktiv erweisen.

Um sich immer wieder Ihre Lebensziele vor Augen zu halten, eignet sich die Meditation besonders gut. Sobald Sie aufwachen oder bevor Sie zu Bett gehen, sollten Sie sich allein an einen vollkommen ruhigen Ort begeben und sich Ihr Lebensziel als Mantra oder Affirmation immer wieder vorsagen. Wenn zum Beispiel morgens Ihr Wecker klingelt, dann hüpfen Sie nicht sofort aus dem Bett. Schalten Sie den Wecker aus, legen Sie sich hin, schließen Sie die Augen und wiederholen Sie einige Male Ihr Lebensziel. Dies kann u. a. Folgendes umfassen:

- Ich verspreche mir, dieses Jahr meine langersehnte Beförderung zu erreichen.
- Ich verspreche mir, hart zu arbeiten, um mir den schönen Diamantring leisten zu können, den ich schon immer wollte.
- Mein Lebenszweck besteht darin, für mich und meine Familie ein schönes Haus zu kaufen.

Führung eines Tagebuchs

Ihre SMART-Ziele haben Sie sich also bereits gesteckt. Diese halten Sie am besten in Ihrem Tagebuch fest, in dem Sie auch genügend Raum für die Aufzeichnungen der Meilensteine lassen, die Sie erreicht oder auch nicht erreicht haben. Durch das Führen eines Tagebuchs behalten Sie den Überblick über Ihren Fortschritt, aber auch darüber, wie weit Sie noch gehen müssen, um Ihren Lebenszweck zu erreichen.

Durch ein Tagebuch blieben Sie darüber hinaus wachsam und auf den Boden. Nehmen wir zum Beispiel an, dass Sie kürzlich an einem bestimmten Meilenstein gescheitert sind, den Sie sich gesetzt haben, und gezwungen sind, einen neuerlichen Versuch zu wagen. In solch einer schwierigen Phase ist es vollkommen natürlich, sich entmutigt oder deprimiert zu fühlen. Nehmen Sie also Ihr Tagebuch in die Hand und führen Sie sich einige Ihrer Erfolgsgeschichten zu Gemüte, um sich wieder frisch und motiviert zu fühlen.

In ähnlicher Weise kann Ihnen aber auch eine Reihe von Erfolgsmomenten zu Kopfe steigen, sodass Ihr Leben Gefahr läuft, von Arroganz geleitet zu werden. Werfen Sie auch in solchen Zeiten einen Blick in Ihr Tagebuch, lesen Sie sich Ihre Misserfolge durch und machen Sie sich bewusst, dass Sie jederzeit einen Rückschlag erleiden könnten. Das Führen eines Tagebuchs hilft Ihnen also, Dankbarkeit für Ihre Erfolge sowie für die Lektionen, die Sie aus Misserfolgen gezogen haben, zu empfinden.

Persönliche Integrität

NLP-Techniken

Persönliche Integrität verlangt, dass Sie Ihrem inneren Ich treu bleiben. Handeln Sie selbst danach, was Sie von anderen erwarten und woran Sie glauben. Ein von persönlicher Integrität geprägtes Leben zu führen, erfordert ein hohes Maß an Selbstbewusstsein bezüglich Ihrer Werte und Grundsätze. Hierzu einige NLP-Tipps:

- Schrecken Sie nicht davor zurück, auch einmal Nein zu sagen. Nur so können Sie versprechen, was Sie auch halten können.

- Steigern Sie Ihre Selbstdisziplin insofern, als Sie produktiven Beschäftigungen mehr Zeit widmen, anstatt sie auf nutzlose Tätigkeiten zu verschwenden.

- Gliedern Sie hohe Ziele in kleine, messbare und zeitlich befristete Ziele auf, damit Sie leicht den Überblick behalten und Ihr endgültiges Ziel auf systematische und disziplinierte Art und Weise erreichen können.

Affirmationen

Die nachfolgenden Affirmationen tragen dazu bei, Herz, Verstand und Körper mit Ihren Grundwerten in Einklang zu bringen. Dies ermöglicht es Ihnen, ein durch persönliche Integrität bestimmtes Leben zu führen:

- Alles, was ich tue oder sage, ist ein aufrichtiges Versprechen.
- Integrität und Ehrlichkeit haben bei mir den höchsten Stellenwert.
- Ich halte mich an mein eigenes Wort.
- Es fällt mir nicht schwer, meine Fehler anzunehmen und aus ihnen zu lernen.
- Ich tue immer, was ich für richtig halte, und sei es noch so unpopulär oder umstritten.
- Ich verspreche nur, was ich auch halten kann.

Visualisierung

Visualisieren Sie Begebenheiten, in denen Sie Wort gehalten haben, und stellen Sie sich die lachenden Gesichter der Menschen vor, die davon positiv beeinflusst worden sind. Nehmen wir beispielsweise an, dass Sie Ihren Kindern versprechen, mit ihnen ein Wochenendpicknick zu veranstalten, doch dann ruft Ihr Vorgesetzter an, weil er Sie im Büro braucht. Die Entscheidungen, die Sie in derartigen Situationen treffen, stellen ein Spiegelbild Ihrer persönlichen Integrität dar.

Meditation

Durch Meditation wird Ihr Selbstbewusstsein gesteigert. Selbstbewusstsein trägt zum Verständnis und zur Wertschätzung unserer Grundwerte bei, was uns wiederum dabei hilft, persönliche Integrität intensiver zu leben. Meditation ermöglicht es Ihnen, sich mit den Tiefen Ihres Verstandes und den Gründen hinter Ihrer aktuellen Persönlichkeit, Ihrer derzeitigen Lebenssituation sowie der Wahl Ihrer Grundwerte zu vernetzen. Dieses Wissen erleichtert es Ihnen, ein von persönlicher Integrität bestimmtes Leben zu führen.

Durch das Meditieren befreien Sie Ihren Geist außerdem von unnützen, verwirrenden und unproduktiven Gedanken. Ein besonnener und klarer Verstand bietet persönlicher Integrität ein starkes Fundament.

Führung eines Tagebuchs

Das Führen eines Tagebuches unterstützt Sie dabei, den Überblick über Momente in Ihrem Leben zu behalten, in denen Sie trotz aller Bemühungen nicht Wort halten konnten. Jedes Mal, wenn Sie ein Versprechen bewusst oder unbewusst brechen, sollten Sie dies in einem Tagebucheintrag festhalten und ihn immer wieder lesen. Vergessen Sie dabei nicht, auch die traurigen oder enttäuschten Gesichter der Betroffenen sowie die Enttäuschung, die Sie sich selbst zugefügt haben, zu beschreiben, als Sie das Versprechen gebrochen haben.

Wenn Sie sich in Zukunft in einer ähnlichen Situation befinden und kurz davor sind, ein Versprechen zu brechen, dann führen Sie sich diese Einträge erneut zu Gemüte. Die dort beschriebene Traurigkeit und Enttäuschung werden dafür sorgen, dass Sie derartige Situationen vermeiden und Ihr Versprechen halten.

Kapitel 5:
Übungsheft

Dieses Übungsheft richtet sich nach den sechs Komponenten, welche in Kapitel 4 anhand praktischer Beispiele erläutert wurden. Diese Übungen nehmen ein gewisses Maß an Zeit und Mühe in Anspruch. Jedoch werden sie sich für Sie lohnen, da sie zur Steigerung Ihres Selbstbewusstseins beitragen und damit langsam, aber sicher auch Ihr Selbstwertgefühl stärken. Dieses Übungsheft ist allgemeiner Natur und kann von jedermann verwendet werden.

Bevor Sie sich allerdings diesen Übungen zuwenden, müssen Sie den Fragebogen zur Selbsteinschätzung in 2. Kapitel ausfüllen, in dem die sechs Säulen des Selbstwertgefühls ausführlich beschrieben werden. Ordnen Sie die sechs Komponenten in aufsteigender Reihenfolge nach deren Bedeutung in Ihrem Leben an. Sind Sie zum Beispiel der Meinung, dass es gegenwärtig schlecht um Ihre zielgerichtete Lebensführung steht, so nehmen Sie zuerst die Übungen zum zielgerichteten Leben in Angriff.

Übungen zum zielgerichteten Leben

NLP-Techniken – Konzentrieren Sie sich auf Ihre Gedanken

Notieren Sie sich vor dem Zubettgehen die drei wichtigsten Gedanken, die Sie heute beschäftigt haben:

1)

____

____

2)

3)

NLP-Techniken – Gebete

Notieren Sie sich am Ende jeder Woche die drei wichtigsten Wünsche, die in der kommenden Woche in Erfüllung gehen sollen:

1)

2)

3)

____

Affirmationen – Führen Sie die drei entscheidendsten Affirmationen an, die auf Ihr Streben nach einem bewussten Leben zielen:
1) ____
2) ____
3) ____

Visualisierung – Visualisieren Sie das wichtigste Ziel, das Sie innerhalb eines Jahres erreichen möchten, und machen Sie ausführliche Notizen:

Zum Schauplatz

____

Zu den betreffenden Personen

____

Zu den Gerüchen

____

Zu den Klängen und Geräuschen

____

Zu Ihren Gefühlen

____

Meditation – Welche zwei Gedanken haben Sie während des Meditierens am meisten gestört? Notieren Sie sich diese beiden Gedanken.

1)

____
____
____
____

2)

___

___

___

___

Das Führen eines Tagebuches – Machen Sie es sich zur Angewohnheit, wöchentlich in Ihrem Tagebuch zu lesen. Machen Sie anschließend ein Element ausfindig, für das Sie dankbar waren und das mindestens zweimal vorkam. Gibt es mehr als eines, so führen Sie alle an:

1)

___

___

___

___

Übungen zur Selbstakzeptanz

NLP-Anker-Technik – Wählen Sie zwei der schönsten Erinnerungen in Ihrem Leben aus. Entwickeln Sie Anker-Techniken für diese beiden Erlebnisse und trainieren Sie sie, um sie bei Bedarf rasch einsetzen zu können.

1)

___

___

___

___

2)

___

___

___

___

Affirmationen – Überlegen Sie sich drei Affirmationen zur Selbstakzeptanz:

1) ______________________________
2) ______________________________
3) ______________________________

Visualisierung – Können Sie sich vorstellen, glücklich zu sein? Beschreiben Sie einen Augenblick in Ihrem Leben, in dem Sie glücklich sind.

____
____
____
____

Meditation – Meditieren Sie über die Affirmationen zur Selbstakzeptanz, die Sie sich überlegt haben. Alternativ können Sie auch die Folgenden benutzen:

- Ich empfinde bedingungslose Liebe für mich.
- Ich akzeptiere meine Schwächen mit Demut und meine Stärken mit Freude.

Übungen zum eigenverantwortlichen Leben

Die NPL-Swish-Methode – Was sind Ihre drei schmerzhaftesten unerwünschten Auslösereize? Finden Sie jeweils einen Ersatzauslöser:

Unerwünschter Auslöser 1)

____

Ersatzauslöser 1)

____

Unerwünschter Auslöser 2)

____

Ersatzauslöser 2)

___

Unerwünschter Auslöser 3)

___

Ersatzauslöser 3)

___

Affirmation – Überlegen Sie sich drei Affirmationen zur Eigenverantwortung.

___

___

___

Visualisierung – Denken Sie an Ihr höchstes Lebensziel. Und nun stellen Sie sich den Tag vor, an dem Sie dieses Ziel erreichen. Beschreiben Sie diese Visualisierung im Detail.

___

___

___

___

Meditation – Erinnern Sie sich an ein schmerzhaftes Ereignis in Ihrem Leben. Durchleben Sie diese Erfahrung im Geiste erneut, jedoch ohne die dazugehörigen Gefühle, und führen Sie die Gründe an, die dazu geführt haben. Teilen Sie diese dann in die zwei folgenden Kategorien ein:

Unter meiner Kontrolle

___

___

___

___

Außerhalb meiner Kontrolle

___

____

____

____

Übungen zur Selbstbehauptung

NLP-Techniken – Lesen Sie die folgenden Beispielfragen und antworten Sie wahrheitsgemäß:

Wenn Sie sich entscheiden müssten, ob Sie entweder auf eine Party gehen oder Ihren Projektbericht fertigstellen, der bis morgen fällig ist: Wofür würden Sie sich entschieden und warum?

Wenn Sie zwischen einem langweiligen, aber ehrlichen und aufrichtigen Mann und einem feschen und gutaussehenden Mann, der jedoch als Lügner und Betrüger bekannt ist, wählen müssten: Für welchen würden Sie sich entscheiden und warum?

Affirmationen – Ergänzen Sie die folgenden Sätze zur Selbstbehauptung in eigenen Worten:

1) Ich bin

____

2) Ich lasse mich nicht beirren von

____

3) Ich trete ein für

____

Visualisierung – Stellen Sie sich eine besonders kniffelige und wiederkehrende Situation vor, in der Sie nicht Nein sagen können. Führen Sie sich diese Situation nun vor Ihr geistiges Auge und stellen Sie sich vor, dass Sie selbstsicher Nein sagen. Beschreiben Sie Ihre Visualisierung ausführlich und vergessen Sie dabei nicht auf Wortwahl, Körpersprache, Gestik, Tonlage etc. zu achten.

____

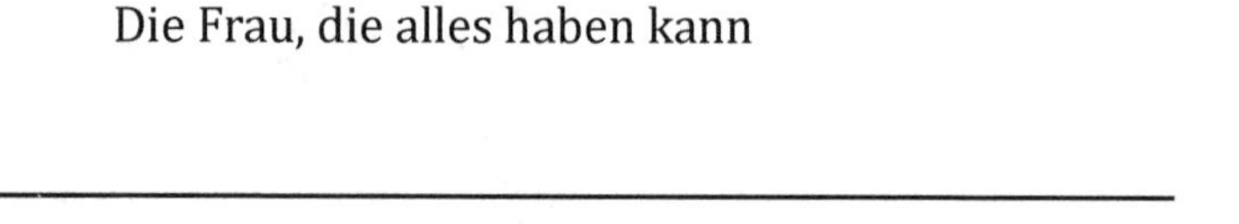

Übungen zum zielgerichteten Leben

NLP-Techniken – Führen Sie drei Ihrer wichtigsten Lebensziele an und achten Sie darauf, dass diese die SMART-Anforderungen erfüllen:

- S – spezifisch
- M – messbar
- A – achievable bzw. erreichbar
- R – realistisch
- T – terminiert bzw. zeitgebunden

Affirmationen – Geben Sie drei Affirmationen an, die sich auf Ihre Bestimmung im Leben beziehen:
1) ____________________
2) ____________________
3) ____________________

Visualisierung – Bewerten Sie die folgenden Ziele nach deren Bedeutung in Ihrem Leben:

- Einen Weiterbildungslehrgang besuchen, um Ihre Karriere voranzutreiben
- Befördert werden
- Eine Menge Geld verdienen
- Eine Weltreise machen
- Ihrem Lieblingshobby nachgehen

Stellen Sie sich nun vor, dass Sie die ersten drei Ziele Ihren Wünschen entsprechend mit Erfolg erreich haben. Beschreiben Sie das Bild, das sich Ihnen vor Augen führt. Sie können dies auch anhand Ihrer eigenen Ziele tun, sofern die oben genannten nicht Ihren Wünschen entsprechen.

Übungen zur persönlichen Integrität

NLP-Techniken – Betrachten Sie die folgenden Beispiele, die eine höfliche Ablehnung zum Ausdruck bringen. Üben Sie sie regelmäßig. Sie können sie aber auch als tägliche Affirmationen verwenden. Denken Sie stets daran, wie wichtig es ist, Nein zu sagen, um dafür zu sorgen, dass Sie auch nur das versprechen, was Sie auch halten können.

- Ich fürchte, dafür bin ich leider nicht die Richtige.
- Das klingt zwar interessant, aber momentan fehlt mir leider die Zeit.
- Es tut mir leid, aber diesmal muss ich deine Einladung leider ausschlagen.
- Wenn ich dir nur deswegen helfe, weil du darauf bestehst, dann mache ich bloß falsche Versprechungen.
- Tut mir leid, aber mein Terminkalender ist voll.

Affirmationen – Überlegen Sie sich drei Affirmationen zur persönlichen Integrität:

1) ______________________________
2) ______________________________
3) ______________________________

Meditation – Meditieren Sie täglich anhand der oben definierten Affirmationen.

Das Führen eines Tagebuchs – Denken Sie an zwei der schwierigsten Augenblicke Ihres Lebens, in denen Sie ein Versprechen gebrochen haben, das Sie Menschen, die Sie lieben und wertschätzen, gegeben haben. Beantworten Sie hierzu nun folgende Fragen:

Warum haben Sie das Versprechen gebrochen?

____

____

____

Was haben Sie dabei gefühlt?

____

____

____

Welche Lehren haben Sie daraus gezogen, die zur Steigerung Ihrer persönlichen Integrität beigetragen haben?

____

____

____

Kapitel 6:

Fazit

Lisa Lieberman-Wang, die berühmte Selbsthilfeautorin, sagt: *„Sie sind nicht Ihre Fehler; Ihre Fehler sind das, was Sie getan haben, und nicht, was Sie sind."*

Die Entwicklung von Selbstwertgefühl geschieht nicht über Nacht. Zur langsamen und stetigen Entwicklung von Selbstwertgefühl sind viel Zeit und nachhaltige Anstrengungen erforderlich. Zunächst ist es von Bedeutung, dass Sie die Entscheidung treffen, sich zum Besseren zu verändern. Dieser ausschlaggebende Entschluss stellt den Beginn einer zwar langen, aber auch unterhaltsamen Reise dar. Lassen Sie sich von anfänglichen Rückschlägen nicht entmutigen, denn gerade die Hindernisse auf Ihrem Weg machen den Lernprozess erst wirksam.

Steigern Sie auch weiterhin Ihr Selbstbewusstsein über die sechs Komponenten des Selbstwertgefühls, die in diesem Buch erläutert wurden. Wiederholen Sie die zur Verfügung gestellten Fragebögen, um den Überblick über Ihre Fortschritte zu behalten. Der Weg zu mehr Selbstwertgefühl mag lang und beschwerlich scheinen, besonders dann, wenn man an einem sehr niedrigen Selbstwertgefühl leidet. Lassen Sie sich von den Herausforderungen, die sich Ihnen in den Weg stellen werden, nicht den Mut rauben. Halten Sie durch und machen Sie sich die Entwicklung der in diesem Buch beschriebenen Grundpfeiler des Selbstvertrauens zur Lebensaufgabe.

CPSIA information can be obtained
at www.ICGtesting.com
Printed in the USA
BVHW041006130720
583614BV00005B/56